LIBRARY SE ⌐⌐⌐
http⌐⌐⌐-lib⌐⌐⌐

East Sussex
County Council

D0892892

SEAFF1

BEXff5
L6S
LEWff3

03046532 - ITEM

CHEROKEE

JEAN ECHENOZ

CHEROKEE

LES ÉDITIONS DE MINUIT

EAST SUSSEX			
V	EURO	Inv	800640
Shelf	K 843		
Copy No	03046532		
Brn			
Date			

COUNTY LIBRARY

© 1983/2003 by Les Éditions de Minuit
7, rue Bernard-Palissy, 75006 Paris

En application de la loi du 11 mars 1957, il est interdit de reproduire
intégralement ou partiellement le présent ouvrage sans autorisation de l'éditeur
ou du Centre français d'exploitation du droit de copie,
20, rue des Grands-Augustins, 75006 Paris

ISBN 2-7073-1827-2

1

Un jour, un homme sortit d'un hangar. C'était un
hangar vide, dans la banlieue est. C'était un homme
grand, large, fort, avec une grosse tête inexpressive.
C'était la fin du jour.

L'homme était vêtu d'un pull-over tricoté à la main,
à rayures jaunes et rouges, sous un imperméable en
feuille plastique souple, opaque, avec des côtes impres-
sionnées imitant un tissage de gabardine. Un petit chapeau de pluie s'étalait comme un poisson plat sur le
sommet de son crâne. Il venait de dormir cinq heures
d'affilée au fond du hangar, et maintenant il marchait
en jetant de fréquents regards à gauche, à droite, derrière lui. Il se méfiait. Il avait volé la veille une somme
importante, il craignait d'être reconnu, il ne voulait pas
qu'on l'arrête ; il ne voulait pas qu'on lui reprenne
l'argent.

Non loin du hangar, dans un bar-tabac, sur une carte
fixée près du percolateur, des dessins figuraient des
sandwiches, des omelettes, du fromage en tranches.
L'homme regarda longuement ces dessins. Il aimait les
images des choses, il y était plus sensible qu'à leurs
noms, depuis la veille qu'à leur prix. Il se retourna vers
la salle où ne se trouvaient que trois consommateurs,
deux qui s'embrassaient et un tout seul très vieux, puis
il commanda un hot-dog et un gruyère-assiette.

— Ensemble ? demanda le garçon.

Sans répondre, l'homme dit qu'il voulait aussi un tango-panaché. Il attendit debout, l'une de ses grosses mains pesant sur le comptoir du bar, jetant toujours ses coups d'œil alentour. Le garçon le servit avec trois mots de circonstance, ceci pour monsieur et voilà, bon appétit, mais à cela l'homme ne répondit pas non plus, même pas merci ; cet homme s'exprimait peu. Il mangeait rapidement, par grosses bouchées, il reprenait des forces. Il vida d'un trait sa boisson rose, posa un billet devant lui, sortit sans attendre sa monnaie, se remit à marcher.

Un moment il voulut savoir l'heure ; sa montre indiquait trois heures vingt, c'était invraisemblable : l'homme situait ce moment entre dix-neuf et vingt et une heures. Il n'aurait pas pu dire la date du jour qui allait finir, il pensait juste qu'on était en novembre. Il porta la montre à son oreille, la remonta brutalement, défit la boucle du bracelet, secoua la montre dans son poing, l'ausculta encore puis la jeta devant lui, l'écrasa comme une blatte en accélérant le pas.

Peu de monde autour de lui, peu de véhicules ; une fois une voiture de police, et l'homme fort s'était poussé dans une entrée d'immeuble, contre une haute poubelle amplifiant les grognements hâtifs et hargneux d'un chat dans une carcasse. Plus loin, plus tard, il dépassait une station-service très éclairée : dans une cabine de verre somnolait un veilleur en combinaison blanche et casquette à pois, terrassé sur le bureau, comme piétiné par le grand cheval ailé rouge derrière lui. Juste après se dressait un grand portail en fer près duquel stationnaient trente personnes des deux sexes, en couples, en groupes, vêtus de couleurs vives qui tranchaient la nuit par instants. L'homme franchit le portail après lequel s'élevait dans l'air un escalier métallique étroit, surplombant un terrain qu'on devinait vague, vers un gros bâtiment de béton neuf, à peine sec. En haut des marches, quelqu'un dans une guérite demanda soixante francs à l'homme fort, qui traversa ensuite une sorte de hall sans apprêt, avec des traînées de ciment frais sur le sol, des reliefs de coffrages sur les murs, et encore quelques groupes et couples. On ne parut pas le remarquer malgré sa corpulence, son vêtement, sa démarche, son chapeau comme une limande, son air de brute.

Ensuite il fallait descendre un nouvel escalier, large et très profond, rectiligne, qu'éclairait à peine sur sa longueur une rampe de néon vert. Une musique violente enflait, montait vers l'homme. Au bas des marches elle était à son comble, rendue abstraite par son monstrueux volume de stridence et de cris, de grosses caisses comme des machines-outils roulant dans une bétonnière d'ogre dont on percevait le rire affreux dans le tumulte. C'était une étendue sombre, vaste comme un stade, constamment striée de rais de couleurs violentes, nerveuses, qui s'agitaient parfois de tremblements stroboscopiques en balayant la surface de l'espace où mille personnes dansaient.

L'homme se fit une place contre un bar balisé de lampes sourdes. Il y avait de la presse, les tabourets étaient tous pris, un double ou triple rang buvait debout. L'homme demanda un tango-panaché. Un barman au regard dur lui tendit une carte des boissons où ne figurait pas ce mélange. Ils échangèrent deux ou trois gestes et l'autre lui apporta une bière d'importation, puis il voulut être payé tout de suite. L'homme fort chercha un nouveau billet dans sa poche, en vain, puis il fouilla son autre poche, en retira une grosse liasse de grosses coupures, liées par un gros élastique, sous l'œil dur et soudain attentif du barman. Il paya, empocha la monnaie, se retourna, s'adossa au comptoir, et maintenant il allait boire lentement cette bière en regardant les gens qui dansaient, les femmes qui dansaient.

Juste à côté de lui se tenait sur un tabouret un homme de haute taille, un peu plus grand que l'homme fort lui-même, qui était pourtant grand et fort. L'homme de haute taille était seulement grand, il se prénommait Georges et son nom était Chave. A l'inverse du fort, il était tourné vers le bar, son verre posé devant lui, et il considérait machinalement le barman qui prenait les commandes, dosait les liquides, discutait dans ses moments de répit avec un jeune homme pâle aux tempes rasées, vêtu d'un blouson de daim frangé, assis à l'autre bout du comptoir.

Et maintenant qu'il avait un instant, le serveur parlait encore au jeune homme en désignant l'homme fort du regard. Il semblait parler à voix basse mais, malgré la musique, le jeune homme paraissait comprendre : il glissa de son tabouret, remonta calmement la ligne des buveurs pour s'approcher de l'homme fort, très près, et lui dire quelque chose que Georges Chave ne put entendre.

L'homme fort sursauta, voulut reculer, se heurta au comptoir. Le jeune homme remua encore les lèvres et puis, subitement, caché entre eux parmi la foule obscure et le bruit, Georges Chave vit luire un rasoir dont la lame réfractait un faisceau fugitif de lueur jaune. Sous l'action d'on ne sait quoi, il y eut alors un mouvement de foule et Georges Chave heurta brusquement l'homme fort qui trébucha et que le jeune homme voulut retenir en se baissant à portée de Georges Chave, lequel alors balança sèchement sa jambe pour écraser son pied sur le nez du jeune homme qui se mit à crier quelque chose d'inaudible en portant ses deux mains vers son visage, le rasoir allant se perdre sous les semelles des danseurs. L'homme fort regarda brièvement l'homme grand, puis s'éloigna du bar en courant vers l'escalier, se frayant un brutal passage de sanglier à travers les femmes qui dansaient. Georges Chave courut après lui, le rejoignit dans le hall.

– Qu'est-ce qui se passe, demanda-t-il, vous avez besoin d'aide ?

L'autre le considérait, les yeux grands ouverts, immobile.

– Crocognan, fit-il. Crocognan.

Crocognan, ce n'est rien, ce n'est pas un nom, cela ne veut rien dire. Mais cela recula d'un pas, d'un autre, plus vite, se tourna, disparut, et le nommé Georges Chave redescendit l'escalier, se remit au bar. Le barman le servit sans manière particulière, le jeune homme au rasoir avait disparu, c'était comme si rien ne s'était passé. Georges quitta l'établissement vers six heures du matin, et un peu plus tard il mangeait des croissants dans un café du boulevard Magenta, et vers sept heures et demie il passait place de la République, devant la caserne où parfois s'installaient des voyantes dans des roulottes. Il y en avait justement deux, l'une était ouverte. Il frappa à la porte.

– Rare, les hommes qui consultent une voyante, dit madame Tirana, surtout à cette heure-ci. Entrez.

Elle proposait plusieurs techniques, Georges opta pour la boule. Mais aussitôt assis, la fatigue de sa nuit l'envahit sans prévenir et d'un instant à l'autre il respirait régulièrement, les yeux fermés, la tête ballant doucement d'un côté. La voyante leva les yeux de sa boule, regarda Georges, puis à nouveau la boule en fronçant les sourcils, puis Georges encore puis la boule derechef, pensive, deux doigts sur le menton. Tant pis, je lui dis, marmonna-t-elle en se levant. Elle contourna la table, s'approcha du fauteuil, se pencha vers l'homme endormi.

– Vous ferez une rencontre, souffla-t-elle doucement dans son oreille. Et vous partirez en voyage, un petit voyage. Et puis vous allez gagner beaucoup d'argent.

Georges grogna un peu en se tassant dans le fauteuil. La voyante posa sur lui un regard attendri, sur ses jambes un plaid, puis elle quitta sa roulotte silencieusement, sans claquer la porte, pour frapper à celle de la roulotte voisine où sa consœur la fit entrer, lui prépara un peu de café dont elles examinèrent le marc.

2

Georges Chave possédait une automobile allemande bleue qui tombait fréquemment en panne. Quand elle était en panne Georges Chave allait à pied, comme ce jour-là rue du Temple, quand il avait rencontré Véronique. Vraiment, cela s'était passé avec une grande simplicité. Par exemple il lui avait demandé l'heure, elle avait répondu que sa montre avançait, il protesta que n'importe quelle heure ferait l'affaire. Peu après, il savait qu'elle s'appelait Véronique. Il l'avait accompagnée un moment, jusqu'au square du Temple qui est planté de grands arbres d'essences assez variées. Il l'invita, voulut lui donner son adresse, se fouilla sans trouver d'autre papier qu'un ticket de métro neuf, elle qui n'avait pour écrire que son bâton de rouge – formats incompatibles. Elle dit qu'elle se rappellerait l'adresse, demain trois heures. On se quitta, on se tourna l'un vers l'autre. Elle portait une jupe en velours lacée sur un côté, une veste en grosse laine beige, et maintenant c'était demain deux heures et Georges était assis près de sa fenêtre, déjà.

Il habitait tout en bas de la rue Oberkampf, dans un immeuble jouxtant le Cirque d'Hiver. Les locataires étaient d'une grande diversité de provenances ; selon leurs longitudes et habitudes respectives, leurs emplois du temps se chevauchaient, s'opposaient ou se confondaient dans un cycle ininterrompu, comme un décalage horaire permanent, immobile. Chaque instant était un contrepoint de paroles et musiques égyptiennes, coréennes ou portugaises, serbes et sénégalaises qui se nouaient entre elles, se brisaient les unes contre les autres comme des grains dans un moulin, et par-dessus tout cela s'élevaient certains soirs les barrissements recueillis des éléphants du cirque proche, les cris d'amour des lynx, et aux fumets polychromes des cuisines de l'immeuble dont les fenêtres ouvertes laissaient aussi jaillir les conversations vives à la lueur des ampoules nues se superposait l'arôme épicé de la ménagerie, comme une olive dans le martini.

C'étaient deux pièces sombres que Georges occupait au deuxième étage, elles donnaient sur une sorte de puits. Un mur entier de l'une d'elles était occupé par des disques, quatre cent soixante-huit disques au juste, principalement de la musique de jazz enregistrée entre 1940 et 1970, comprenant la quasi-totalité des catalogues Prestige et Riverside, l'essentiel de la maison Blue Note, un échantillonnage complet des productions des autres firmes, et tous ceux que Georges avait achetés en Hollande, commandés en Suède, et les enregistrements pirates, les imports japonais, et aussi des disques de marques inconnues, enregistrés dans des cuisines, aux pochettes façonnées à la main, qu'expédiait à Georges un ami américain.

Seule la fenêtre de la cuisine connaissait le soleil, dominant une cour assez vaste aux pavés extraordinairement irréguliers, comme jetés en vrac puis laissés là, et que reliait à la rue une porte cochère bombée aux murs de laquelle étaient peints en rouge des mots d'ordre turcs. Depuis la cuisine, au-delà de cette porte, Georges pouvait observer une petite fraction de trottoir de la rue Oberkampf, dans un cadre trapézoïdal traversé de jambes de femmes, de jambes d'hommes, de moitiés d'enfants, de chiens complets. Quinze heures quinze : le corps entier de Véronique avançait dans le trapèze.

Elle traversait la cour prudemment, surveillant ses talons sur les pavés, sans voir Georges à sa fenêtre qu'il ferma aussitôt, puis rouvrit, puis il baissa la voix dans la radio qui criait que si je t'aime (clac), quel problème (clac-clac), car tu mens (clac) tout le temps (clac-clac), et mes larmes sont pour toi (boum, boum) du vent, et Georges redressa un coussin, s'aperçut dans le miroir, ferma la porte de la salle de bains, rétablit le volume de la voix qui gémissait maintenant que lourde est la peine sous le figuier bifide, longue est l'attente sous le man-guier languide, et l'ennui cogne sous le palmier-dattier, puis elle frappa, il ouvrit, elle entra, il ouvrit les bras, et longtemps après il l'embrassait encore et parlait dou-cement dans ses cheveux, pendant que la voix murmu-rait que rouges sont la lèvre et l'ongle, blanche et bleue l'écume de mer, que tout est clair, que tout est clair.

3

Georges Chave était donc un homme un peu plus grand que la moyenne, assez maigre par ailleurs, ce qui pouvait le faire croire encore un peu plus grand. Il possédait peu d'argent, grattant les derniers os d'un héritage décharné qu'épiçait à peine un fond éventé d'aide publique. Il s'achetait peu de vêtements, qui étaient presque toujours de fabrication américaine et très souvent de seconde main, et qu'il se procurait chez deux ou trois marchands, toujours les mêmes, porte de Clignancourt. Véronique changerait tout cela.

Georges la revit les lendemain et surlendemain entiers, qui composaient un week-end, et presque tous les soirs de la semaine suivante, puis elle dormit chez lui. Comme elle travaillait tout le jour dans un bureau de la rue des Pyramides, ils ne se retrouvaient que vers sept heures, après quoi leurs nuits étaient courtes, leurs matinées jamais bien grasses.

Toute la journée, Georges attendait donc Véronique. Cette attente l'empêchait de meubler comme avant son existence d'une activité de bars, de cinémas, de voyages en banlieue, de visites données, reçues, rendues, de romans, de sommeils imprévus, d'aventures provisoires. Puis il voulait toujours offrir à Véronique des fleurs, des bijoux, des affaires, notamment une robe jaune qu'il avait vue place des Victoires. Il découvrit, révolté, puis dut admettre qu'il manquait d'argent pour cela et que

18

sans elle, presque à son insu, cette situation aurait pu s'éterniser.

Un jeudi, une valise à la main, Georges Chave sortit de chez lui à neuf heures du matin, remonta la rue Oberkampf vers la station de métro Oberkampf où il s'embarqua vers la place d'Italie. Passé la Bastille, la rame monta s'aérer un instant quai de la Rapée, s'enfouit encore puis remonta comme suivant le profil d'une montagne russe ensevelie, débouchant à l'air libre pour contourner la Morgue, par les vitres dépolies de laquelle on devinait des hommes en blouse procédant à d'affreux constats, puis elle vira brusquement vers la Seine par le pont d'Austerlitz. Sud-est ou nord-ouest, les passagers se tournaient alors vers les vitres et contemplaient le paysage fluvial, respectivement borné par les arcades superposées du pont de Bercy et la banalité placide du pont Sully entre lesquels, lentement, flottaient à peine des barges emplies de matières premières.

Place d'Italie, Georges emprunta vers l'air libre un escalier mécanique monumental puis il marcha vers l'est, par des avenues bordées de hautes tours, de parcs proprets flanquant des fondations philanthropiques en brique rouge, de petits commerces rancis, de zones de construction ou de démolition, de supermarchés en rodage.

Sa valise pesait, rien n'est lourd comme les livres. Il traversa le quartier chinois, qui ne proliférait pas en cris brefs, musique aigre, coins obscurs, arrière-salles, odeurs inattendues, idéogrammes et lampions, mais consistait en hautes et longues barres d'immeubles gris, tels des paquebots en quarantaine échoués de part et d'autre de l'avenue comme une digue autour de quoi allaient et venaient, semblables à des chaloupes, des

voitures surpeuplées d'hommes jaunes. Un pont enjambait ensuite le boulevard périphérique, où renâclait sur
huit files un bétail contraint ruant dans son oxyde d'où
s'échappaient, à peine perceptibles, par les déflecteurs
poussés, des filaments d'autoradios. Ensuite c'était
Ivry : un petit pavillon gris subsistant tout au fond d'un
passage, protégé par un portail qui s'ouvrait mal et fer-
mait mal, et dont les deux piliers s'ornaient de gros dés
à jouer en béton reposant sur un coin. Georges franchit
le portail, contourna l'habitation par un chemin étroit
obstrué par un gigantesque cadavre de glycine, puis se
trouva dans un menu jardin carré qu'ombrageaient
entièrement les hauts immeubles alentour, mais où
poussaient en ligne de petits légumes décidés.

Un homme de soixante-cinq ans cria quelque chose
de l'intérieur, puis vint ouvrir la porte vitrée de la cuisine. Georges entra : cela sentait fort le chien, ou plutôt
les chiens, dont au moins un mouillé. Mais il n'y avait
pas de chien, pas plus que de volaille dans le poulailler
ruiné qu'étayait un mur tout au fond du jardin.

– Fallait plus venir, dit l'homme.

Il était vêtu d'une épaisse sédimentation d'étoffes :
veste, gilet, chemise, maillot d'échancrures décroissan-
tes et de couleurs fer, bronze, pétrole, anthracite, avec
un vaste pantalon kaki d'ancienne façon coloniale,
maintenu par une grande quantité de boutons.

Georges posa sa valise sur la table et en retira une
vingtaine de livres qui étaient des romans de Georges
Ohnet, de Paul Reboux, de Claude Farrère, des biogra-
phies de Barrès, de Barbès, de Barbusse, des études
historiques, témoignages historiques, romans historiques, avec la collection reliée du périodique *100 Blagues*
pour l'année 1964.

– C'est tout ce que j'ai trouvé, Fernand, dit-il.

Fernand inventoria le lot en murmurant des zéros. Laisse, dit Georges, je les ai eus pour rien. Mais si, mais si, fit le sexagénaire. Mais non, dit Georges. Bon, dit Fernand, tu prendras bien un petit café. Ils prirent le petit café. Et comment vont les affaires ?

– Comme ça, répondit Georges, des hauts et des bas.

– Tu cherches quelque chose ?

Georges haussa doucement les épaules.

– C'est que je ne peux rien pour toi, dit l'homme. Je ne vois plus personne, moi, je ne sais plus rien. Rends-toi compte, s'anima-t-il soudain, j'ai connu Javel, j'ai bien connu Pons, c'est moi qui ai découvert Sapir, j'ai encore en tête tous les comptes de Roux-Flacelière. Quoi encore. J'ai travaillé pour les sœurs Jones, pour Gaston d'Argy, pour Paul, et me voilà comme tu me vois, déjà un vieux con sans retraite, sans rien. Pourriture, trépigna-t-il faiblement, vérole et mal blanc.

– Ne sois pas amer, dit Georges. Oublie, c'est loin.

Mais Fernand se tournait subitement vers lui, l'œil vif, un doigt levé :

– Et Benedetti ? Je l'oubliais, Benedetti. Va donc voir Benedetti, tout simplement. Depuis qu'on te le dit.

– C'est vrai, au fond, dit Georges. Depuis qu'on me le dit.

– Et Fred, tu as des nouvelles ?

– Fred, dit Georges, je ne veux plus le voir.

4

Voici donc Fred. Fred est assis. Sous ses yeux, deux hommes torturent sauvagement un troisième homme, le dépècent et plongent ses restes dans une baignoire pleine d'acide. C'est l'esprit de lucre qui guide leur bras. Ils seront punis. Autour de Fred, assis comme lui dans l'ombre, quelques spectateurs ricanent, d'autres se bouchent les yeux. Fred ne manifeste aucune réaction, il n'est pas très attentif à ce qui se passe, il paraît soucieux, il pense à autre chose. Le voilà qui se lève, il quitte la salle alors qu'il reste trois bons quarts d'heure de projection.

Dehors, la lumière était froide et métallique. Fred Shapiro descendait l'avenue de Wagram, l'Arc derrière lui dressant en perspective son bloc de vieille glace grise. C'était un homme de trente-huit ans, son nez était arqué, son front d'autant plus haut que dégarni. Il portait un costume en whipcord bleu de Prusse, une chemise en étamine de laine blanche très fine à rayures grises très fines, une cravate de soie bleu nuit avec un petit motif de héron blanc au bec jaune d'or, de grosses chaussures noires comme en portent les policiers et les prêtres, mais d'un modèle sept fois plus coûteux.

Fred Shapiro pensait à Georges Chave, d'où son expression soucieuse ; Georges était un cousin éloigné de Fred, ce qu'on appelle un cousin, un de ces cousins que l'on retrouve régulièrement, l'été, dans des maisons pleines d'oncles. Ensemble, étant enfants, ils avaient construit des abris, supplicié des crapauds, fumé des plantes, inventé des codes. Vers dix-huit ans, ils s'étaient retrouvés à Paris, on voyait souvent Georges avec Cécile, Fred avec Alice. Le premier été venu, ils avaient loué une petite maison près de la mer.

Il n'y avait pas de sable. C'était une côte rocheuse avec des criques, des falaises, des calanques, l'eau claire était tout de suite profonde. Ils étaient partis tous les quatre, accompagnés d'un jeune frère de Cécile pré-nommé Charles-Henri. Cécile était blonde, Alice châtain clair, Charles-Henri était allergique aux oursins et portait des pantalons coupés aux chevilles.

Cet été-là, Fred s'exprimait par grondements, par mots brefs, acides, il ne voulait rien faire comme les autres, il était insupportable. On ne savait pas ce qu'il avait. Tôt dans l'après-midi, un jour de soleil dur, il proposa à Cécile de l'accompagner au bord de l'eau. Elle accepta, le suivit longuement dans la pierraille qui se dérobait sous leurs sandales, vers une petite plate-forme qui surplombait la mer en terrasse. Ils s'étaient assis là, sans parler. Il n'y avait pas d'autre bruit que celui des vagues s'écrasant au-dessous d'eux, avec des cris d'oiseaux qu'on ne voyait pas.

Fred s'était tourné vers Cécile en souriant, et il avait tiré de sa poche un couteau, un beau Laguiole avec un long manche en os. Il avait déplié le couteau, en avait éprouvé la pointe et le tranchant sur son doigt. Cécile n'était pas sûre qu'il fût nécessaire d'avoir peur. Certes, devenu fou, Fred pouvait vouloir la tuer, la violer, et dans quel ordre, mais il pouvait aussi être simplement content de lui montrer son beau couteau. Il le fit sauter dans sa main, plusieurs fois, puis le saisit par sa lame et le projeta devant lui, comme vers une cible, et l'arme vira sur elle-même en parabole avant de se planter dans la mer, trente mètres plus bas. Cécile était soulagée, mais Fred alors tira d'une autre poche un second couteau, plus grand, plus effrayant que l'autre, avec le mot *rostfrei* gravé à la base du fer. Il joua encore un moment de cet accessoire, sans s'arrêter de sourire, puis le lança vers l'eau comme s'il visait toujours un point. Puis il ne sourit plus, se leva, partit sans se retourner. Cécile le vit s'éloigner maladroitement parmi les pentes où les galets se déroulèrent sur son passage. Elle attendit qu'il eût disparu pour se lever à son tour. Beaucoup plus tard dans la journée, après qu'elle eut regagné la maison par un autre chemin, on lui apprit que Fred n'était revenu que pour bourrer sa valise en trois minutes, et repartir à Paris sans un mot. Georges ne comprenait pas. Alice pleurait.

Le lendemain matin, Cécile était revenue en compagnie de son frère sur la terrasse étroite où Fred avait fait son numéro. Charles-Henri plongea, resta longtemps sous l'eau, réapparut, haleta, dit qu'il avait vu les couteaux, juste au même endroit, posés en croix l'un sur l'autre. Il pouvait retourner les prendre si elle voulait. Elle ne voulut pas, ils rentrèrent. Peu après, l'été se terminait. Alice pleurait.

Fred et Georges s'étaient ensuite revus deux fois à Paris, en automne. D'abord dans un café vers Maubert puis au Savoy, place de la République. Fred était encore bizarre, sombre, désinvolte, presque méchant, il ne rendit pas à Georges un disque emprunté depuis longtemps, une interprétation très peu courante de *Cherokee*. Ce n'était rien, des détails qu'il fallait ignorer, comme l'histoire des couteaux que Cécile avait fini par raconter à Georges, et qui n'était rien non plus, mais ces détails les amenèrent à ne presque plus se voir.

D'ailleurs, peu après, Fred partit en voyage. On n'eut aucune nouvelle de lui, sauf une carte postale adressée à Cécile, quelques mots neutres au dos d'une vue de Chandernagor. Six mois plus tard, Georges apprit qu'il était revenu, mais qu'il évitait tout contact avec ses anciennes connaissances. Ils ne s'aperçurent plus qu'à de rares occasions, des fêtes de famille par exemple, durant lesquelles Georges et Fred se tenaient à distance l'un de l'autre comme des aimants de même pôle, mais il y eut bientôt de moins en moins de fêtes dans leur famille, aucun oncle ne songeait plus à en organiser.

Maintenant, quand on interrogeait Fred sur son métier, il disait qu'il était homme d'affaires. C'était vrai : il achetait à bas prix une quantité de café, qu'il échangeait contre une quantité de coton, qu'il troquait contre du charbon, qu'il cédait pour du sucre ou du ciment, et ainsi de suite. Il s'agissait toujours d'importantes quantités, et Fred prélevait un bénéfice sur chaque transaction. Il ne voyait jamais la couleur de son coton ni de son charbon, tout se faisait par téléphone. C'était une profession facile, rentable, réclamant peu de connaissances et peu de temps, juste toujours les soixante mêmes relations. Elle était simple et satisfaisante, Fred se demandait parfois pourquoi tout le monde ne l'exerçait pas.

Tout n'avait pas été toujours aisé. Muni du principe d'acheter un objet, de surveiller la conjoncture et de le revendre plus cher le moment venu, Fred négligea malheureusement une variable lors de sa première affaire. Son investissement initial était un stock de neuf tonnes d'anchois conditionnés en semi-conserve, ce qui eût été une opération comme une autre s'il avait disposé des fonds nécessaires à la location d'un entrepôt réfrigéré. Les anchois se morfondirent durant trois belles semaines de juin au second sous-sol d'un garage en construction, près de Plaisir. Après avoir écumé les grossistes, Fred mit enfin la main sur un homme de Dijon qui cherchait justement ces petits poissons en grande quantité. Onze jours plus tard, des malaises graves ravagèrent diverses usines, casernes, écoles et prisons du département de la Côte-d'Or. Des cantines de couvents jusque-là impeccables furent le pénible théâtre de convulsions, vomissements et diarrhées. On remonta sans mal jusqu'à Fred qui, juste avant qu'on mît la main sur lui, sauta dans le premier avion pour Chandernagor, seul lieu sur terre assez distant de Dijon où il connaissait à présent un peu de monde.

Il ne revint cette fois que trois années plus tard. Les oncles associés avaient plus ou moins payé les amendes, taxes, charges, frais de justice, non sans secrètement prendre le parti de Fred, si loin, tout seul, face à toute cette nourriture épicée. Avec le peu d'argent qu'il avait ramassé là-bas, Fred redémarra sur la base de quarante-cinq machines-outils, qui n'eurent pas le temps de rouiller avant d'être troquées contre neuf mille téléviseurs, après quoi le système prospéra.

Après quoi cela marcha d'autant mieux que Fred associait maintenant des tiers à des affaires qu'il traitait seul, ce qui lui permettait de multiplier ses bénéfices par un jeu de comptabilité. Ainsi, depuis six semaines, Fred Shapiro tenait lieu d'homme d'affaires auprès d'un Anglais assez riche nommé Ferguson Gibbs : Fred lui proposait des marchés au double de l'investissement initial, puis restituait la moitié de son propre bénéfice à l'Anglais ébloui. C'était un nommé Roger Groin qui avait présenté Fred à Gibbs, lui proposant de prendre sa place. Roger Groin quittait l'Anglais, ayant trouvé une place analogue auprès d'un émir. Roger Groin était un gentil garçon, il ressemblait peut-être un peu trop à son nom.

Fred descendait donc l'avenue de Wagram vers la place des Ternes, où un taxi le prit en charge à quinze heures quarante. A quarante-quatre, le taxi déposa Fred place de l'Europe, qui est une étoile à six branches baptisées Liège et Londres, Vienne et Madrid, Constantinople et Leningrad. Fred tua le quart d'heure qui restait devant les vitrines des magasins de musique, rue de Rome. Il y avait des vents, des peaux, des cordes, des panoplies de saxophones rangés par ordre décroissant comme des outils, et puis un piano dans le fond, un crapaud coréen. Jeune, Fred avait étudié le piano, puis l'avait assez pratiqué pour pouvoir développer des thèmes repiqués sur des disques, des choses de Ray Bryant, de Junior Mance, de Bobby Timmons, des choses comme ça. Georges l'accompagnait sur une guitare amplifiée tant bien que mal, formant surtout des lignes de basse sur les quatre cordes graves de l'instrument, puis ils avaient trouvé un batteur dont les parents possédaient un garage isolé dans lequel ils installèrent un vieux Bösendorfer de location. Le batteur était petit, nerveux, râblé, avec des moustaches fines, presque transparentes. Il parlait peu. On avait toujours l'impression qu'il allait vous casser la figure.

Il était cinquante-cinq, et Fred n'avait pas le temps d'entrer dans la boutique pour essayer le crapaud. Dans les chambres d'hôtel qu'il occupait généralement, il n'était pas possible d'installer un piano. C'étaient pourtant des hôtels de luxe la plupart du temps, avec un bar équipé d'un piano, mais bon. Il revint sur ses pas vers la place de l'Europe, qu'il dépassa pour s'engager dans la rue de Liège.

Au 6bis de la rue de Liège, c'est un petit hôtel particulier tout propre, tout frais, en retrait de l'alignement des façades. Une grille protège un gravier planté d'arbustes, quelques voitures sont garées là, une Bentley, une Land Rover, une vieille Mercedes jaune ; certaines sont immatriculées à l'étranger. Il y a aussi une motocyclette Norton Commando. Le rez-de-chaussée est occupé par une société de transports internationaux. A l'étage, deux portes se font face. Sur l'une est punaisée une carte de visite gravée d'un sigle incompréhensible. Fred frappa contre l'autre.

La dame qui vint ouvrir n'avait plus sa jeunesse mais elle était bien belle, droite, ferme et fardée, avec un sourire émouvant. Elle avait un visage de bonne fée incestueuse, comme le portrait-robot établi par un homme qui voudrait décrire à la fois Michèle Morgan et Grace Kelly à cinquante-cinq ans, cet homme étant Walt Disney. Elle portait un tailleur Chanel couleur zinc, un corsage gris et léger comme une fumée et un énorme collier en or.

– Je cherche mon chat, dit Fred, il s'est perdu par ici, vous ne l'auriez pas vu ? Un chat jaune avec une courroie verte autour du cou.

– Non, répondit la dame, il n'y a que des chiens dans le quartier.

– J'ai eu aussi un chien, dit Fred. Il était malade chaque fois que le mois commençait par un vendredi.

– Entrez, dit la dame.

Il entra. Salon Louis XV, tentures bouton d'or, vastes miroirs, tableaux façon Fragonard ou Boucher, tapis de la Savonnerie, rideaux superposés plein les fenêtres. Elle referma la porte.

– Vous avez trouvé facilement ?

– Pas de problèmes, répondit Fred. Il n'y a que ce mot de passe qui est un peu exagéré.

28

– Vous venez de la part de Gibbs ?

– Pas de noms, dit Fred.

La dame se mit à rire.

– Mais si, dit-elle, justement. Des noms. Vous êtes là pour ça.

D'un geste, elle le laissa choisir entre divers fauteuils inconfortables, aux tapisseries chargées comme des langues, puis elle s'assit devant un petit secrétaire biseauté dont elle retira un dossier gonflé de pelures qui dépassaient de partout. Elle approcha un instant ses lunettes de ses yeux, sans les chausser, en parcourant les premiers feuillets.

– Ah oui, dit-elle, une secte. Une sorte de secte.

– Pardon ? fit Fred.

– Une secte, répéta-t-elle, avec tout ce qu'il faut. Les locaux, les antennes en province, le matériel de propagande, tout ça. Ils ont fait une petite fête au printemps dernier, ils étaient presque huit cents, attendez (elle feuilleta), voilà : sept cent quatre-vingt-deux. Ils avaient amené beaucoup d'argent pour cette cérémonie, c'était la fête de la Belle-sœur.

– Je ne comprends pas, dit Fred.

– N'essayez pas, dit la dame. La Belle-sœur, c'est une sorte de vestale qu'ils adorent. Ils adorent aussi le blanc.

– Quel blanc ? hésita Fred.

– La couleur blanche, généralisa la dame. Ils adorent la couleur blanche, leur Belle-sœur et puis une espèce de grand-prêtre qu'ils ont, enfin qu'ils avaient, je vous expliquerai.

– Ils sont idiots, estima Fred.

– La question n'est pas là, dit la dame, où en étais-je ? Ah oui. Donc ils se sont retrouvés pour leur cérémonie. Ils avaient amené pas mal d'argent pour faire une offrande à la Belle-sœur, ils l'ont confié au grand-prêtre.

29

Le lendemain il n'y avait plus de grand-prêtre, et le coffre était vide.

– Qu'ils sont idiots, insista Fred.

– Je l'admets, dit la dame. La preuve, c'est qu'ils n'ont pas encore compris ce qui s'est passé. Ils sont toujours dans le désarroi, on peut les prendre en main comme on veut. Une affaire à saisir.

– Ça ne me paraît pas très sérieux, jugea Fred.

– C'est sérieux, mais il faut faire vite. Ils commencent à se disputer entre eux. Il faudrait intervenir avant qu'il y ait des scissions, sinon ce sera plus compliqué. Je vous expliquerai leurs idées, les croyances, le rituel, j'ai toute la documentation. Il suffirait de trouver quelqu'un qui prenne la place du grand-prêtre, histoire de rétablir le calme. On les rembourse un peu, on leur raconte n'importe quoi, ce n'est pas compliqué.

– Mais quel intérêt ? voulut savoir Fred.

– Huit cents personnes, c'est une main-d'œuvre. Ils peuvent faire n'importe quoi pour vous, il suffit de savoir les prendre. Comme une petite armée, vous me suivez ?

– Je ne sais pas, dit Fred. Peut-être que ça n'intéressera pas Gibbs.

– Moi, vous faites comme vous voulez, s'impatienta la dame. On me demande de trouver des placements, je trouve des placements, ensuite c'est vraiment comme vous voulez. Et puis pour ce que je prends sur cette affaire, s'énervait-elle, s'il n'y avait que des affaires comme ça, bon, je ne vais pas vous supplier. Et puis vous n'êtes pas le seul, hein, Gibbs n'est pas le seul.

Elle était presque en colère, elle était assez belle à voir. Elle avait refermé le dossier. Elle regardait Fred avec hauteur. Ses ongles étaient carmin, ses lèvres pincées.

– Bon, dit Fred, ne vous énervez pas.

– Ce que je veux simplement dire, reprit-elle trop calmement, c'est que c'est un bon placement, c'est tout ce que je peux dire. C'est un bon investissement. Maintenant, hein.

– Bon, bon, fit encore Fred, je lui en parlerai. Et le testament Ferro, vous avez des nouvelles ?

La dame avait saisi un porte-mine laqué et elle traçait des caractères très fins sur un carré de papier parme épais comme du buvard, qu'elle avait détaché d'un bloc.

– Je n'aurai plus rien là-dessus, dit-elle en écrivant. Le notaire a mis quelqu'un sur l'affaire, une sorte d'agence, je vous marque l'adresse. Je vous mets aussi le téléphone de Dascalopoulos. C'était l'ancien grand-prêtre, j'ai pu le contacter. C'est lui qu'il faudrait voir si Gibbs est d'accord pour s'occuper des rayonnistes.

– Des quoi ? s'inquiéta Fred.

– Des rayonnistes. Les rayonnistes de la main gauche. C'est eux qui adorent le blanc. Ils pensent que le blanc n'est pas une couleur mais un rayon, quelque chose comme ça. Le grand-prêtre célèbre le culte du rayon et la Belle-sœur incarne le rayon, ou le conserve, ou le répand, je ne sais plus au juste. Elle est évidemment vierge, et pure, et tout, vous voyez.

– Je vois, dit Fred. Et que pensent de tout cela les rayonnistes de la main droite ?

– J'ignore s'il en existe, dit la dame. Ce sera encore vous, la prochaine fois ?

– C'est possible, dit Fred, c'est bien possible. Pourquoi, vous préfériez Roger Groin ?

– Non, dit la dame, vous n'êtes pas mal.

– Merci, madame, dit Fred, vous êtes gentille. Vous me plaisez beaucoup également.

5

Il était une fois deux hommes nommés Ripert et Bock, ce genre de grand maigre et de petit gros qu'on ne présente plus. Ils étaient tous deux vêtus de complets sombres et bien ajustés, Ripert pour paraître plus grand, Bock pour sembler moins gros. Ce dernier arborait une large cravate crémeuse sur une chemise en tergal chocolat, ce qui lui donnait une allure confuse de souteneur et de petit déjeuner. Ripert portait un polo bleu ciel pur coton, dont le col ouvert laissait paraître une petite chaîne en or avec une minuscule médaille pieuse ; dans son genre, un autre genre, il avait également l'air d'un souteneur. Pourtant, ils n'exerçaient pas cette profession. Ils se tenaient face à face, chacun derrière un bureau, et buvaient de la vodka verte fabriquée en France dans des gobelets de carton. Ils se taisaient. Ils étaient pensifs.

Sur leurs bureaux il y avait des journaux, des ciseaux, des coupures de presse, puis des photographies, des lettres, des photocopies de lettres, puis des cendriers, des lampes, des téléphones, puis des crayons, des clefs, des boîtes de bière vides, des carnets, des paquets de cigarettes, des briquets jetables. La pièce était très sombre. C'était l'ancien salon d'un grand appartement converti en bureaux, avec encore la cascade poussiéreuse d'un lustre hors d'usage au plafond, et le lest colossal d'une cheminée en marbre blanc sculptée par

32

un esprit retors, comme une meringue mutante. Aux murs jaunes étaient punaisés un calendrier publicitaire, offert par les établissements Smetana, ainsi qu'un plan de Paris-banlieue. Près de la porte, un rayonnage en latté prenait de la flèche sous les annuaires, les cartes routières, l'édition 1976 du guide Michelin, des dossiers et des catalogues, quelques romans d'espionnage et revues de bandes dessinées pour adultes, la biographie de Dostoïevski par Henri Troyat et un numéro spécial de revue d'automobile consacré aux petites japonaises.

Ils étaient pensifs. Ils buvaient sans se regarder. Lorsqu'une voix cria quelque chose de l'autre côté d'un mur, ils se levèrent. Ils poussèrent une porte. Bonjour, chef, dirent-ils. Bonjour, dit leur chef. Ils s'assirent.

– Les affaires reprennent, annonça le chef. Spielvogel vient d'appeler et Degas a confirmé ce matin. Nous restons également sur le Polneux. Où est Brigitte ?

– A Sainte-Geneviève, répondit Bock.

– Parfait, dit le chef, elle s'occupera du Polneux. Ripert rencontrera Degas dès que possible, et Spielvogel vous attend dans une heure, Bock. Reste cette histoire de testament, ça traîne, ça traîne. Vous avez fini par trouver quelque chose ?

– Tout le monde est mort, dit Ripert d'une voix plaintive, les héritiers sont morts sans laisser d'héritiers. Il n'y a plus de famille, la maison est vide, les archives ont brûlé, c'est foutu.

– Pour moi, exprima Bock, ça ne sert à rien de chercher.

– Je sais, dit le chef, mais le notaire continue à payer.

– C'est vous le patron, rappela Bock. Mettez donc Brigitte sur l'affaire, à mi-temps.

– Mais puisqu'elle va s'occuper du Polneux, s'écria le chef. Le client paie un service, n'est-ce pas, c'est la moindre des choses qu'il en ait un peu pour son argent. C'est quand même incroyable, voilà que nous manquons de bras.

— Tout est foutu, répétait Ripert. C'est sans espoir.

— Vous ne voyez pas quelqu'un qui pourrait s'en occuper, insinua le chef. Ça n'est pas compliqué, il suffit de faire semblant. On ne trouve rien, d'accord, mais au moins qu'on ait l'air de chercher. Vous ne voyez personne ?

— Non, dit Bock, je ne vois pas. Et si vous refusiez l'argent du notaire ?

— Pas question, dit le chef.

— Il y a bien mon frère, avança Ripert.

— Pas question, dit le chef.

Il y eut derrière eux un bruit de porte.

— Voilà Brigitte, annonça Bock. Elle connaît peut-être quelqu'un.

La porte du bureau s'ouvrit, mais ce n'était pas Brigitte. C'était un inconnu : il avait frappé, on n'avait pas dû entendre, il s'était permis d'entrer. Il cherchait le directeur.

— C'est moi, reconnut le chef. C'est pourquoi ?

— Je viens de la part de Fernand, dit l'inconnu. Fernand, d'Ivry. Celui des livres. Il m'a parlé de vous pour un travail.

— Ah oui, entrez, dit le chef, asseyez-vous. Je suis Benedetti.

— Moi, c'est Chave, dit l'inconnu.

— Vous tombez à pic, dit Bock en se levant.

Il sortit du bureau, quitta l'immeuble, marcha jusqu'au Châtelet où il prit le métro vers la Concorde, d'où il gagna à pied le quartier de la Chambre des députés dans un bel immeuble duquel, au dernier étage, résidait le docteur Spielvogel.

– C'est idiot d'élever un perroquet tout seul, dit le docteur Spielvogel. C'est cruel, par ailleurs. Tenez, regardez ceux-là. Vous les voyez, là-haut ?

Bock leva les yeux vers le plafond vitré de la volière. Elle occupait la plus grande pièce de l'appartement, très vaste, très haute, envahie par le blanc du ciel, des projecteurs derrière des grilles brillaient sous chacun de ses angles. Dans des bacs se tenaient de grands arbres exotiques dont les branches s'entrelaçaient en hauteur, offrant une diversité de perchoirs vers lesquels les oiseaux s'étaient envolés à l'entrée des deux hommes, comme un grand drap multicolore happé par une tornade. Ils se tenaient maintenant posés, ou bien voletaient d'un appui l'autre en échangeant des piaillements, des cris, des croassements, de curieux craquements. Il y en avait plusieurs dizaines, peut-être cent, peut-être même plus de cent perroquets, uniquement des perroquets. Le docteur agitait son doigt vers un point de la meute aviaire :

– Des inséparables, vous savez, ce sont les plus connus. Généralement on les sépare, vous imaginez la suite.

Il régnait une chaleur terriblement humide dans la volière, l'air manquait, Bock suait, les fibres synthétiques de sa chemise lui piquaient et brûlaient la peau. Il rejeta sa veste pliée sur son épaule.

– Un animal grégaire, insista Spielvogel.

– Ils parlent tous ?

– Plus ou moins. Ils répètent ce qu'ils ont appris chez leurs anciens propriétaires, quelquefois ce que je leur enseigne. Vous savez ce que conseille Pline pour apprendre à parler aux perroquets ? Pline l'Ancien, n'est-ce pas.

– Mh, fit Bock.

– Il dit de leur taper sur la tête avec un bâton aussi dur que leur bec. (Il rit, Bock pas.) C'est vrai qu'ils ont le bec dur. Ils m'ont bousillé trois installations, déjà.

Un volatile s'était posé sur une branche basse près du docteur, pour l'écouter parler. Son bec était orange, sa tête bleu canard percée d'un œil rouge sang, son cou vert tilleul prolongé d'émeraude, sa gorge citron, son ventre lie-de-vin, ses ailes roses à franges violettes au long desquelles un reflet bleu marine se défaisait progressivement en gris pigeon.

– Loriquet de Swanson, indiqua le docteur. Pas du tout le genre d'oiseau dont je veux vous parler. Entrez. Par là.

Protégé par un fin grillage pour parer aux déjections, un salon Directoire était serré dans un coin de la volière, comme une petite cage où les humains pouvaient se poser.

– Il s'agit d'un perroquet Morgan, dit Spielvogel en s'asseyant. Vous connaissez les perroquets Morgan ?

– Pas autant que je voudrais, avoua Bock.

– Bien sûr, c'est un oiseau très rare, il faut que je vous explique. Ecoutez.

Bock écouta : la population des perroquets se divisait en soixante-dix-neuf genres, trois cent vingt-cinq espèces et huit cent seize sous-espèces ; elle se répartissait en sept familles, notamment les nestors et les amazones, les perruches et les cacatoès, quelques variantes annexes et enfin les perroquets proprement dits, parmi quoi le perroquet de base, le perroquet à l'état pur, *psittacus* originel : un individu gris, terne, extrêmement beau parleur, dont on ne connaissait que trois sous-espèces blotties dans des coins de brousse entre le fleuve Congo et le fleuve Sénégal.

Plus exactement, on croyait ne connaître que celles-ci

jusqu'à l'apparition du perroquet Morgan, représentant une quatrième sous-espèce inconnue avant sa découverte, quinze ans auparavant, par le célèbre ornithologue Morgan, d'où son nom. Le perroquet de Spielvogel était l'un des deux oiseaux dont s'était emparé l'ornithologue, après lesquels aucun individu de sa catégorie n'avait pu être capturé, ni même observé. A son cousin près, il était unique en son genre. Il coûtait une fortune.

— Je comprends, dit Bock. Ce Morgan, c'est un ami à vous ?

— Un ancien ami, rougit le docteur, rien à voir avec notre affaire.

— Et s'il est mort, cet oiseau, dramatisa Bock, supposez qu'il soit mort. Il faut bien qu'il meure un jour.

— Ils vivent vieux, vous savez, dit Spielvogel.

Un nasiterne avait ainsi tenu cent six ans au zoo de Londres, et un grand cacatoès à huppe jaune s'était éteint à Gloucestershire à l'âge de cent vingt. Bon, dit Bock, passons. Les faits.

Les faits : dans la soirée de mardi, le docteur Spielvogel avait passé un moment dans la volière en compagnie de quelques invités, collègues insoupçonnables flanqués d'épouses insoupçonnables. Bock nota quand même leurs noms.

— Nous avons parlé un moment avec lui, se rappela le docteur. Une pièce incomparable. Depuis quatre ans qu'il était là, il avait appris un bon millier de mots, pas mal, non ? Avec moi surtout, il s'exprimait énormément.

— Je comprends, répéta Bock. Et après ?

— Mercredi matin, il n'était plus là. Je suis très affecté par cette perte, j'étais très attaché à cet oiseau. Je crois qu'il m'aimait lui aussi. Vous connaissez sans doute cette thèse, si souvent exprimée, selon laquelle les perroquets mâles s'attachent aux femmes et les femelles plutôt aux hommes.

– Ah non, fit Bock.

– Peu importe, elle est fausse. Grzimac l'a prouvé en 49. D'autres questions ?

– Oui, dit Bock, quelques-unes.

Mais il n'y avait aucune trace d'effraction, aucune lucarne oubliée, aucun mobile plausible chez aucun domestique, aucune menace, aucun ennemi, aucun soupçon, aucune idée.

– Bon, on va voir ça, conclut Bock en se levant. Vous auriez peut-être une photographie de l'animal ?

Sitôt qu'il fut parti, les perroquets quittèrent les hautes branches et s'abattirent sur Spielvogel comme sur un ami, un épouvantail inversé soudain couvert de perruches discolores, tricolores, multicolores, de loriquets à double œil, croupion vert, crête bleue, de loris à calotte rose et tête de prune, poitrine pourpre et bonnet pâle, d'amazones au front mauve, d'inséparables masqués.

Vers onze heures, Bock remontait la rue Saint-Denis vers le passage Brady qui s'ouvre de l'autre côté sur le boulevard de Strasbourg, et où les bureaux de Benedetti occupaient l'étage noble d'un immeuble maigre, équipé d'un ascenseur pour une personne et demie. Sur la porte était vissée une plaque émaillée où se lisait le mot *Contentieux*. Ripert n'était plus là, ni le chef, ni l'inconnu de tout à l'heure. Seule Brigitte se tenait au standard, dans l'entrée, examinant un document à l'aide d'une loupe derrière laquelle se leva vers Bock son œil énormément maussade.

– Alors, fit Bock, ça avance, le Polneux ?

Puis il s'assit et feuilleta un ancien numéro de *Science et Vie* en attendant Ripert. Ce dernier, à midi moins dix, parut et demanda quoi de neuf. Pas plus, dit Bock, une histoire d'oiseau à la con. Allons manger, proposa l'autre. Bock se leva, ils sortirent. Et le Polneux, ça marche ? fit Ripert en passant devant Brigitte.

Il y avait du merluchon avec des pommes à l'eau. Bock exposa le cas Spielvogel et projeta d'aller faire un tour dans les zoos, chez les marchands d'animaux du quai de la Mégisserie, peut-être au marché aux oiseaux de l'île de la Cité, dimanche. Ripert objecta que ça ne donnerait sûrement rien, mais Bock assurait qu'il fallait essayer. Les objets se retrouvent toujours à leur place naturelle, prétendit-il, du moins ils y séjournent nécessairement, à tel ou tel point de leur cours sublunaire, mais Ripert dit qu'il ne fallait pas le courir avec ces histoires. Va carrément voir au Congo, si c'est ça.

Plus tard, au jardin des Plantes, passé un moment dans le quartier des oiseaux, Bock acheta des cacahuètes dont il voulut nourrir les singes – mais les singes ne voulaient pas de ses cacahuètes, ils les lui renvoyaient habilement à travers les barreaux, c'était Bock qui dut les manger. Puis il voulut voir un éléphant, mais il n'y avait pas d'éléphant pour le moment. Dans le pavillon en rotonde où d'ordinaire logeaient les pachydermes, une odeur intenable ne contenait que des bêtes modestes, peu exotiques, peut-être oubliées, rencognées dans leurs geôles. Bock sortit, respira, s'assit sur un banc. On était en semaine, il faisait gris et froid, le jardin n'était peuplé que de vieilles personnes et d'enfants en bas âge, avec des mères et des chômeurs. Soudain le ciel couvert redoubla d'épaisseur, une lueur sombre tomba comme la nuit sur les choses, du vent fit courir quelques objets légers à la surface du sol : signes avant-coureurs d'une averse qui déferla en effet aussitôt, avec fougue. Bock courut vers un petit groupe spontanément formé sous le couvert d'un large épicéa. Il s'essuya le visage de sa manche mouillée, croisa les bras, frictionna ses épaules sans un regard vers les vieillards et les enfants qui tremblaient d'enthousiasme devant la pluie violente. Il remonta le col de sa veste.

6

Le Cirque d'Hiver est également un bâtiment en rotonde, mais beaucoup plus grand. On y trouve aussi des éléphants, d'ailleurs, qui viennent parfois faire des tours. C'est plus précisément un polygone d'une vingtaine de côtés intercalés de colonnes corinthiennes, à mi-hauteur duquel une frise en bas-relief fait se poursuivre des jongleurs, des dompteurs, des antipodistes. Deux lanternes pendues à des volutes encadrent son portail que protège une grille violette à pointes dorées, surmontées d'arceaux. Il y a un petit square devant, et de part et d'autre deux cafés sont établis. C'est dans celui de droite que Véronique rencontra Bernard Calvert.

Véronique habitait donc chez Georges. Il lui avait acheté cette robe jaune, elle l'avait portée deux ou trois fois. Au début, il était toujours là pour s'occuper d'elle, et pendant quelque temps ils s'étaient beaucoup occupés d'eux. Puis il avait trouvé ce travail chez Benedetti et maintenant il pouvait rentrer tard le soir. Véronique rendait alors visite à son amie Sophie Bron, ou recevait la visite de Sophie Bron, ou allait boire un verre avec Sophie Bron dans le café à droite du cirque.

Un soir, deux jeunes gens inconnus entrèrent dans cet établissement ordinairement paisible et répétitif. Ils étaient bruyants, gominés, portaient des blousons de cuir clouté sans manches, des cœurs et des crânes tatoués sur leurs bras. Ils vidèrent prestement quelques bières puis se mirent à se moquer du monde qui était là, lancèrent des incongruités vers Véronique et Sophie Bron, juste comme celle-ci racontait à celle-là ses vacances à Naxos (d'immenses plages de sable, énormément d'Allemands), puis ils voulurent s'approcher d'elles. Un tumulte s'ensuivit, et le barman aidé de trois piliers finit par mettre en fuite les deux amis.

Prétextant le désordre, l'un des piliers se rapprocha de Sophie Bron puis de Véronique. Il s'appelait Bernard Calvert, il était photographe, il était gentil. Elles l'invitèrent à leur table, ils burent ensemble, il leur raconta des histoires. Il connaissait personnellement un chanteur numéro quatre au hit-parade ; il possédait une petite maison à la montagne, du côté de Briançon ; il avait récemment visité la Finlande. Comme tous trois commençaient à se connaître, Georges survint. Georges était fatigué, distrait, absent, il souriait vaguement sans rien dire, il y eut moins de rebonds dans la conversation. Bernard Calvert disparut rapidement ; puis Sophie Bron, dans une autre direction ; puis Véronique et Georges rentrèrent chez Georges.

Ils s'étaient embrassés, la bouche de Georges était amère, sa peau collait d'aigre sueur salariale. Il s'en fut prendre une douche pendant que Véronique mettait à frire des œufs. Il y avait un disque de piano, assez fort, du Bill Evans qui pleurait et grésillait sous le diamant usé, et tout ce bruit d'eau savonneuse, d'huile bouillante et de piano frit couvrait la voix de Georges qui criait une histoire par-derrière le rideau. Véronique entendait à peine, écoutait à peine, elle pensait à Bernard Calvert, à quelque chose de drôle qu'il avait dit.

Voici néanmoins ce que racontait Georges. Le 16 avril 1883, dans un petit village des Alpes au pied du mont Pelat, un homme de vingt-six ans nommé Frédéric Chabot avait administré de l'arsenic à son beau-père, Marguerite-Elie Ferro, doté de soixante-huit ans et d'un énorme capital. Quelle ne fut pas la déconvenue de Frédéric lorsqu'il prit connaissance, le jour de la lecture du testament chez un notaire de Barcelonnette, des dernières volontés de Marguerite-Elie. Revenu de tout, prévoyant le pire, le grigou interdisait que sa fortune échût à qui que ce fût avant la disparition complète de tous ses descendants jusqu'à la cinquième génération. Cette annonce décupla un instant l'intensité du deuil chez les intéressés avant de le suspendre aussitôt, et qu'on insultât la dépouille. Frédéric Chabot fut jeté deux mois plus tard au fond d'un puits par son demi-frère Thérésin puis la famille se dispersa sauvagement, le temps de se reproduire à cinq reprises, laissant à cinq générations de notaires le soin de gérer l'immense magot de Marguerite-Elie.

Celui-ci, comme d'autres natifs de cette région vers le milieu du XIXe siècle, était parti chercher fortune au Mexique à l'âge de trente-deux ans, délaissant une carrière de berger sans avenir pour établir là-bas un commerce de peaux. Rapidement florissant, décuplant plusieurs fois son avoir, il avait fait partie du petit groupe de négociants bas-alpins établis à Mexico qui exerçaient une influence politique effective dans ce pays instable, affaibli par les luttes acharnées opposant les calotins conservateurs aux libéraux menés par Benito Juarez, que soutenaient également les Indiens. Au fil de longs conciliabules en dialecte gavot, menés dans des salons obscurs derrière les façades jaunes et roses écrasées de soleil, Marguerite-Elie avait contribué à préparer l'expédition de 1862 – un de ces étonnants projets de Napoléon III qui visait cette fois à renverser Juarez pour fonder au Mexique un empire catholique et latin à sa botte. Se fondant sur des rapports d'émigrés, Napoléon III avait imaginé que ses troupes seraient reçues là-bas dans l'allégresse. Erreur. L'expédition mexicaine, succession confuse de rapports de force minables, traîna cinq ans avant de se révéler un échec parfait, assez impopulaire pour desservir quelque temps toute idée coloniale, non sans ruiner au passage le crédit de l'empereur. Marguerite-Elie Ferro quitta Mexico en 1867, sur le même bateau que Bazaine, laissant se faire fusiller Maximilien, frère obstiné de François-Joseph, gendre sacrificiel du roi des Belges.

Fortune donc faite, Marguerite-Elie était retourné au village, après avoir failli se laisser tenter par l'idée de renouveler l'expérience en Nouvelle-Calédonie, que faisait plus efficacement suer la France depuis 1853. Il préféra finir ses jours dans le château colonial qu'il avait fait construire contre une falaise de schiste, tout près de sa maison natale, et depuis lequel, jusqu'à son dernier spasme, il géra sagement la profusion d'hectares de plaines, de forêts, de fleuves et de mines qu'il possédait encore là-bas, et qui représentaient maintenant au bas mot, hors taxes, quelques dizaines de milliards.

Or, depuis un an, le dernier résidu de la cinquième génération Ferro s'était officiellement desséché dans un hospice du Mans, et il s'avérait à présent difficile de mettre la main sur les premiers héritiers réels de Marguerite-Elie, sans qu'on pût même être sûr qu'il en existait encore. Bien qu'un pool de généalogistes se tînt prêt à étudier toute prétention de lignage, aucun aspirant au legs ne se manifestait. On avait même organisé un peu de publicité autour de cette affaire – quoique assez discrètement pour obvier à ce qu'affluent aussitôt vers les Basses-Alpes des trains bondés d'escrocs : une rumeur encore faible courait en effet, selon laquelle en surplus des hectares il y aurait un estimable magot dissimulé quelque part autour de la maison Ferro, consistant en pierres et en métaux précieux. Nul document n'était là pour contredire ou confirmer cette rumeur ; on pouvait seulement en tenir compte.

L'un des notaires chargés de la succession avait cru bon de recourir aux services de Benedetti, lequel avait mobilisé Bock et Ripert qui n'avaient rien trouvé. Et c'était maintenant à Georges d'éprouver combien pénible est l'enquête infructueuse, humiliant le terrain stérile, dérisoire cette monnaie qu'on vous donne en échange de rien.

Il sortit de la salle de bains dans le peignoir en éponge blanche de Véronique, des gouttes perlaient au bout de ses cheveux ; les œufs fumaient sur la table. Il creva leur jaune avec des croûtons de pain.

– Quel bonheur, dit-il. Un bon métier, une bonne douche. De bons œufs, quel bonheur entier. On voudrait mourir après avoir connu cela. Remets cette robe, non ?

Elle ne répondit pas.

– Bon, je plaisante, dit-il encore, on peut plaisanter.

Elle s'était couchée assez vite, sans attendre la fin du repas de Georges qui tourna ensuite dans l'appartement, feuilleta un hebdomadaire du mois passé, changea la face du disque, fuma deux cigarettes brunes, but un fond d'alcool blanc. Quand il vint la rejoindre, Véronique dormait, tournée vers l'autre bord du lit. Pendant un long moment, il essaya de relire les premières pages d'un roman tout en se tournant souvent vers elle. Elle ouvrit enfin les yeux, il la regardait, elle ne disait rien ; elle regardait le centre du plafond d'où fusait un fil électrique.

– Je t'ai ennuyé, dit Georges, je t'ennuie. Tu t'ennuies.

– Mais non, dit-elle doucement.

– Bon, je suis comme ça. Je suis comme ça.

– Mais non, répéta-t-elle.

– Tu veux dire que – mais il n'acheva pas sa phrase. Bon, reprit-il, on pourrait voir des gens, inviter des gens. On connaît des gens. Non ?

Elle remonta les couvertures sur elle.

– Ce type qui était au café tout à l'heure, tu sais, il s'appelle comment ?

– Bernard, dit Véronique, Bernard Calvert.

– Et il est comment ?

Elle referma les yeux.

– Eh, fit Georges, il est comment ?

– Normal, dit-elle. Gentil. Normal.

7

C'était une carte d'un vieux modèle, en bristol rose saumon, d'un format légèrement supérieur à celui des cartes de visite habituelles. Les mots L'OPTIQUE, société anonyme, y étaient imprimés en caractères épais, suivis de deux chiffres indiquant le capital de ladite société, puis son numéro matricule au registre de la Seine. En haut à gauche de la carte, un nom était écrit à la main, monsieur Raymond Degas, dans une calligraphie coquette, désuète, violette, qu'on devinait être celle de monsieur Raymond Degas lui-même.

En effet, monsieur Raymond Degas était désuet, coquet, mais il reçut Ripert en robe de chambre coquelicot, dans une pièce étroite et basse de plafond dont la fenêtre donnait sur le métro aérien. Il n'y avait là qu'une seule chaise, sur laquelle une pile de clichés surexposés conservait son équilibre, et une table tachée où gisaient les pièces d'un petit télescope, près d'un livre ouvert dont une lentille biconvexe gardait la page. Tout cela faisait pauvre, désordre, failli. Monsieur Degas ôta la pile de la chaise, s'assit sur la pile, désigna la chaise à Ripert.

– Madame Degas est absente, monsieur, dit-il en ramenant sur ses genoux les pans de la robe de chambre, c'est d'ailleurs à son sujet que je vous consulte. Veuillez m'indiquer vos tarifs.

– Tout dépend, dit Ripert.

– En fait elle est souvent absente, déclara Degas, elle est rarement là. Je crois qu'elle couche avec un type. Un de ces types, voyez-vous, je ne me formalise pas. Généralement, je la voyais quand même deux ou trois fois dans la semaine. Mais là, ça va faire quinze jours qu'elle n'est pas revenue. Je ne savais que faire, c'est mon ami Smirnoff qui m'a indiqué votre organisme. Vous connaissez Smirnoff ?

– Peut-être, dit Ripert.

Degas pouvait avoir soixante ou bien soixante-quinze ans. Il était mince et plutôt petit ; il se tenait bien droit. Un sourire inaffectif tiraillait constamment ses commissures sous une brève moustache grise, et son regard véhiculait une sorte de vivacité stupide.

– Laissez-moi vous exposer les faits, proposa-t-il.

– Pas la peine, dit Ripert, je connais bien ces problèmes. Je vais plutôt vous poser des questions.

Il les posa, Raymond Degas donna toutes les réponses puis demanda encore combien il lui en coûterait. C'est selon, fit Ripert, vous auriez peut-être une photographie de la personne ? Il sortit, héla un taxi. Ça n'avait pas l'air compliqué, Degas savait tout ce qu'il convenait de savoir ; il aurait pu s'en occuper lui-même. Ripert claqua la portière du taxi, donna au chauffeur l'adresse d'un bar rue du Pôle-Nord, vers Jules-Joffrin.

C'était un bar sombre et maigre, absolument désert, sans même un barman derrière le comptoir auquel, du haut d'un tabouret crevé, s'accoudait pesamment un seul consommateur : un être herculéen coiffé d'un chapeau mou qui ballottait sur son crâne comme un flan, avec un pull-over bleu roi et des socquettes vertes fluorescentes. Ripert n'osa pas le regarder avec trop d'insistance mais ne put que prendre place près de lui, l'être occupant à lui seul le volume presque entier du débit.

Au bout d'un long silence, Ripert produisit une toux grêle puis se pencha prudemment par-dessus le comptoir, lorgnant vers une porte entrouverte à son extrémité en prenant soin de ne pas croiser le regard de l'hercule.

– Il y a quelqu'un, mi-vocalisa-t-il, il n'y a personne ?

– Vous cherchez quoi, fit l'être d'une voix protohistorique tout en se tournant vers lui.

– Le patron, se hasarda Ripert. Il n'y a pas de patron ?

L'être se laissa pesamment tomber de son tabouret. Vous venez de la part du mari, grommela-t-il sombrement. Le sol tremblait sous lui. Vous croyez que je vais vous laisser faire, gronda-t-il en saisissant un pan de la veste de Ripert. Tu crois que ça va se passer comme ça, rugit-il un ton plus haut en le poussant brutalement de son siège. Non, non, fit Ripert d'une voix aiguë en protégeant son visage d'une main, mais l'autre lui cognait déjà le ventre de son considérable poing et Ripert ne trouvait plus son souffle, puis quand même il essayait de crier avant que l'hercule eût percuté sa mâchoire, et le cri de Ripert s'arrêtait alors net, refluait dans sa gorge avec un goût salé, puis Ripert tombait sur le carreau poisseux du bar.

Comme nous tous, Ripert avait vu au cinéma des hommes qui se battent, reçoivent des coups terribles, tombent, se relèvent aussitôt pour donner d'autres coups terribles à d'autres hommes qui tombent à leur tour, se relèvent et ça n'en finit pas. Ripert considérait tout cela comme de la frime, et que le moindre de ces coups, pour de vrai, aurait suffi à tuer qui que ce fût sur-le-champ. Pourtant il put se relever, se tourner, repérer la porte du bar et tituber vers elle, tout son corps penché en avant. Mais comme il atteignait le seuil, l'hercule le rattrapa et le projeta d'un coup de pied vers le trottoir adverse de la rue du Pôle-Nord, dont l'arête heurta son front et l'assomma instantanément.

Un autre choc le fit revenir à lui, le fourgon de Police-secours ayant pilé trop fort à l'entrée de l'hôpital Bichat. Ripert se redressa sur la civière, tâta ses membres et son buste avec une grimace effrayée, se mit sur son séant et réclama qu'on le laissât descendre. Trois hommes en bleu au-dessus de lui l'incitèrent à n'exprimer aucun avis. Deux heures plus tard, entièrement radiographié, des bandes de gaze collées au front, il poussait la porte du bureau de Benedetti, où Chave et Bock rapportaient le détail de leurs investigations respectives aux Archives et au Museum. On vit entrer Ripert, on s'exclama sur ses pansements, il raconta son aventure et décrivit son agresseur : très costaud, petit chapeau flasque, socquettes comme des néons.

Bock et Benedetti firent des moues puis se mirent à se gratter en silence, qui la nuque, qui la joue à contre-sens du poil, cherchant parmi leurs connaissances qui pouvait correspondre à tel signalement. Debout contre un pan de bibliothèque, tête penchée, Georges déchiffrait les titres au dos des livres.

– Ça ne me dit rien, ce type, dit enfin Bock. A moins que ce soit Brookmeyer ? Brookmeyer est un peu comme ça.

– Brookmeyer est à Clairvaux en ce moment, dit Benedetti. Je pensais plutôt à Olaf.

– Ah oui, tiens, fit Bock, c'est vrai. Olaf.

– Quoi, Olaf ? cria Ripert. Je le connais, moi, Olaf, je l'aurais reconnu. Il n'aurait jamais fait ça. Et s'il avait fait ça je lui aurais cassé la gueule à Olaf, moi.

– Bien, bien, Ripert, fit Benedetti d'une voix apaisante. Ça va, ce n'est pas lui.

– Enfin, Olaf, merde alors, gesticulait Ripert.

– Oui, Ripert, bon, fit encore le chef. N'en parlons plus, d'accord, nous sommes d'accord. Ce n'est pas Olaf.

– Il était comment, son chapeau ? intervint Georges Chave.

On se tourna vers lui : Ripert hostile, Bock circonspect, Benedetti rêveur.

– Son chapeau, à ce type, répéta Georges, il ressemblait à quoi ?

– Un chapeau mou, répondit Ripert d'une voix contrainte. Mou et petit.

– Oui, dit Georges, mais il ressemblait à quel objet, quel genre d'objet ?

– Je ne sais pas, fit Ripert, peut-être un flan. Ou bien une espèce de méduse. Je ne sais pas, moi.

– Est-ce qu'il parlait, ce type ? Est-ce qu'il a dit quelque chose ?

– Pratiquement rien, résuma Ripert. C'était difficile à comprendre.

– C'est Crocognan, déclara Georges.

– Pardon ? fit Benedetti.

– Crocognan, répéta Georges. Je le connais.

Le chef porta sur Georges un regard attentif, incertain, presque douloureux. Ripert et Bock échangeaient des mimiques méfiantes en profondeur de champ.

– Et comment doit-on s'y prendre à votre avis, Chave, demanda lentement Benedetti en examinant ses ongles. Comment s'y prendre avec ce, cette personne ?

– J'en fais mon affaire, dit Georges.

– Bien, dit le chef, voulez-vous vous en occuper demain ? Vous pourriez y aller ensemble avec Ripert, peut-être.

Celui-ci grimaça, désigna son pansement.

– Je demande deux jours, fit-il d'une voix faible.

– Ce n'est pas le moment, Ripent, dit sévèrement Benedetti.

– On peut y aller tout de suite, si vous voulez, proposa Georges. Comme ça c'est fait.

Dix minutes plus tard, le chef avait invité Georges à s'installer près de lui, à l'avant de sa Mercedes, Bock et Ripert chuchotant des avis sur la banquette arrière, puis ils remontèrent la ville vers la rue du Pôle-Nord. Benedetti rangea l'automobile devant l'entrée du bar, d'où s'épandait sur la chaussée une légère infusion de lumière. Allons-y, dit-il.

Doucement, ils pénétrèrent l'un après l'autre dans le bar où ne se trouvait toujours personne d'autre que l'hercule, assoupi sur son avant-bras gauche qui lui tenait lieu de polochon. Ripert entra le dernier, tentant de se cacher derrière le trop petit Bock. Apeuré, nerveux, il bouscula un guéridon sur son passage, le rattrapant de justesse sans pouvoir arrêter dans sa chute un cendrier posé dessus, qui vint se briser net sur le carreau. On s'immobilisa, l'hercule se redressa, reconnut la face épouvantée de Ripert.

Te revoilà, gronda l'être affreusement quoique presque affectueusement, tout en se levant et progressant par vastes roulements d'épaules vers Ripert qui projeta le guéridon devant lui, vint se coller derrière Bock. Hé là, oh, fit Bock. Le colosse écarta l'obstacle comme on chasse une poussière, puis il brandit son poing monstrueux au-dessus de la tête de Ripert qui s'était tassé, ses coudes croisés par-dessus lui dans l'attente de la mort. Georges fit claquer sa langue.

– Allez, Crocognan, fit-il. Ça suffit.

A la vue de Georges Chave, les traits de l'homme fort se figèrent, ses épaules s'affaissèrent comme des ballons crevés pendant que ses yeux s'écarquillaient, ces parties de lui semblant régies par un système de vases. Il recula lentement sans quitter Georges du regard, soufflant avec force, se recroquevillant à chaque pas comme pour vouloir rejoindre un format humain normal, se terrant en fin de course contre un juke-box mutique.

– Calme, Crocognan, calme, dit Georges avec douceur en venant vers lui. Où est la dame ?

L'hercule remua furieusement sa grosse tête. Ses yeux roulaient.

– Où est la dame, Crocognan ? insista Georges.

– Là-haut, gémit l'homme fort.

– Suivez-moi, dit Georges.

Au fond du bar, une étoffe pourrie figurant un arbre de vie masquait un escalier étroit en raidillon, aux murs souillés, aux marches creusées, par où l'on accédait à une porte palière fermée à clef de l'extérieur. Georges tourna la clef, poussa la porte : une dame un peu âgée, très maquillée, était assise sur une chaise en fer devant une table basse couverte de magazines féminins. Elle se leva à leur entrée.

– Je suis madame Degas, reconnut-elle aussitôt.

– Mes hommages, madame, s'inclina Benedetti.

– Et voilà le travail, dit Georges.

8

Et revoici Fred. Il est encore assis. Sous ses yeux, un prognathe au visage pourpre renverse sur une table une femme rousse dont il arrache fébrilement les vêtements, puis il défait les siens à peine plus soigneusement. Sa virilité violette surgit, qu'il agite, puis sa semence dont il badigeonne sa partenaire. Tous deux soufflent et crient. Une porte grince, un autre homme paraît dans l'embrasure, déjà nu. Son corps est jaune et gras, son membre jaune et gros. Il approche et s'interpose. Voici que le prognathe et le jaunâtre entreprennent la femme rousse simultanément, par différents conduits, hurlant de bonheur avec disproportion.

La porte grince derechef. Apparaît une forte femme blonde harnachée de sous-vêtements compliqués d'un noir verdâtre, un fouet dans une main, un olisbos dans l'autre. Comme elle va s'emboîter dans le trio, Fred se lève et sort, veillant à ne frôler personne sur son passage pour ne pas laisser prise au moindre malentendu. Il se retrouve à l'air libre, sur un trottoir du boulevard Sébastopol. Il débande rapidement, il est un peu déprimé. Il marche.

L'alignement des façades est percé de galeries opaques, de passages au sol carrelé, au ciel dépoli, qui relient le boulevard aux rues parallèles et qu'occupent d'infernaux ateliers de confection, des bureaux marrons, des meublés dégoûtants, des épiciers indiens, des officines de marabouts. A travers les verrières ébréchées sur lesquelles, sans toujours parvenir à les crever, des projectiles chus des étages ont créé des zones de fracture concentriques, comme sur une eau morte des ronds de vaguelettes successives, on voit progresser par en dessous de longs chats flous risquant une patte circonspecte après l'autre, tels des patineurs sur une glace incertaine. Le sol de ces passages est assez souvent malpropre et corrompu, des carreaux manquent dans les coins.

Fred Shapiro s'engouffra dans le troisième passage qui s'ouvrait sur sa gauche. La voie rétrécissait dans son milieu, formant un petit tunnel à l'entrée de quoi, de part et d'autre, des plaques portaient le mot *Imprimerie* en cursives jaunes sur fond noir, à gauche, à droite le mot *Contentieux* en égyptiennes outremer sur émail blanc. Fred passa le seuil de droite, négligea le petit ascenseur et s'engagea dans l'escalier fraîchement repeint ; les doigts collaient un peu sur la rampe.

Au deuxième étage, Fred poussa la porte du cabinet de contentieux. Brigitte leva les yeux sur lui. Brigitte avait des cheveux bruns courts, était vêtue de bleu pâle et portait des lunettes à monture en plastique rose incrusté de paillettes. Elle tapait une facture sur une grosse machine électrique suisse, en prenant soin de bien superposer les décimales.

– Monsieur Benedetti, demanda Fred.

– C'est personnel ?

– C'est personnel, confirma Fred. C'est urgent, important et personnel.

– Je vois, dit Brigitte. Vous patientez un petit instant ?

Il se posa sur un fauteuil en toile écrue tendue sur de la tubulure chromée. Sur une table basse en osier, devant lui, s'entassaient diverses revues froissées, cornées, souillées, auxquelles manquaient des pages. Brigitte échangea quelques chuchotis avec un interphone produisant des craquements, puis pria encore Fred d'attendre un petit instant. Fred attendit. Le petit instant était bien entamé lorsque s'ouvrit la porte par laquelle il était entré, et trois hommes surgirent d'un pas décidé. Deux d'entre eux parlaient à voix haute, Fred ne les avait jamais vus. En revanche il reconnut aussitôt Georges Chave, qui était celui qui marchait sans rien dire derrière eux, et Fred n'eut que le temps de cacher son visage derrière un numéro spécial de *Terre-Air-Mer*, périodique des forces armées, consacré au lancement du sous-marin Le Flagrant. Les trois hommes disparurent par une autre porte, Brigitte se leva et sortit à leur suite. Onze secondes plus tard, lorsqu'elle revint pour introduire Fred, il avait disparu. Elle eut un regard circulaire, hésita, traversa la pièce, ouvrit la porte d'entrée : le palier était désert. Elle se pencha vers la cage silencieuse puis revint sur ses pas, traversa la pièce où se tenaient les adjoints de Benedetti, passa dans le bureau de celui-ci.

– Il n'est plus là, dit-elle. Il est parti.

– Qui c'était ?

– Il n'a pas dit son nom.

Benedetti haussa les épaules, eut un geste évasif, fit une brève allusion au Polneux puis se replongea dans la concoction d'un devis. Brigitte quitta la pièce, ferma la porte derrière elle et considéra un instant les employés de son chef, jaunis par la lumière électrique perpétuelle.

Bien calé contre son bureau, ses mains rejointes en visière au-dessus des yeux, Bock consultait un ouvrage de Paul Barruel. Assis sur ses reins, un pied sur l'arête d'un tiroir entrouvert, Ripert taillait des allumettes en pointe à l'aide d'un coupe-papier. On lui avait ôté son pansement, au lieu de quoi s'étalait une large ecchymose brune et mauve, bordée de gris-orangé soutenu, sur laquelle il passait précautionneusement son index toutes les cinq minutes avec une petite contraction du faciès.

Georges ne disposant pas encore d'un bureau pour lui seul, Bock lui avait cédé une parcelle du sien pour qu'il examine à son aise le dossier Ferro, composé de documents dépareillés quoique redondants, pauvres en informations, qu'on suspectait parfois d'avoir été mis là dans le seul but de faire épais. C'était encore de vieilles coupures de presse ligneuses, des lettres délavées, illisibles, fendues aux pliures, des brouillons souvent remaniés d'arbres généalogiques hérissés de branches mortes, des copies à l'alcool d'actes juridiques abstraits, des comptes rendus fuyants signés par l'un ou l'autre des adjoints de Benedetti, des doubles de billets dilatoires adressés par ce dernier au notaire. Il n'était pas possible de dégager un sens ni même un ordre de cette broussaille de papiers hétéroclites, qui évoquaient un étal de clochard dans les franges les plus lumpen-prolétariennes d'un marché aux puces de banlieue ; Georges renonça à une troisième lecture. Il se tourna vers Bock, demanda des nouvelles de l'oiseau, conseilla un baume à Ripert, n'obtint en retour que des mâchonnements de réponses minimales, négatives ; il renonça encore, se leva, sortit. Ripert leva un œil vers Bock :

– Tu crois qu'il va trouver quelque chose ?

– Quoi, le dossier Ferro ?

Bock se mit à se gratter.

– Tu sais bien qu'il n'y a plus personne.

– Oui, fit Ripert, je ne sais pas.

De la pointe du coupe-papier, il repoussait maintenant les petits arcs de peau morte à la base de ses ongles.

Un moment, on n'entendit plus rien que le glissement des pages que Bock tournait régulièrement, les syncopes sucrées d'un tango quelque part dans l'immeuble, des éclats de voix dans le passage, des changements de vitesse grondeurs sur le boulevard, le cliquetis désordonné de la machine suisse dans l'entrée, puis Ripert agita mollement son outil vers son collègue, avec un sourire de travers.

– A ta place, moi, quand même, dit-il. Enfin. Tu devrais te méfier.

– Quoi, de qui, fit Bock distraitement.

– Ton oiseau, tu ne vois pas qu'il le retrouve aussi ? De quoi on aurait l'air ? De quoi on aurait l'air, je te le demande.

Bock releva les yeux de son livre et considéra Ripert, puis il passa une main large et courte sur son crâne rond.

– Impossible, dit-il. C'est comme Ferro, cet oiseau, on ne trouvera jamais rien. C'est juste des histoires pour faire rentrer de l'argent, ça, en attendant que le client se fatigue.

– Ce type est sournois, affirma Ripert. Je n'aime pas ce type.

– Tu exagères.

– Tu verras. Tu verras.

– C'est ça, dit Bock, on verra.

Georges arrivait cependant devant la Bibliothèque nationale, puis traversait la cour du vaste dépôt de combustible, sur le seuil de laquelle des lecteurs aux pupilles dilatées derrière les vitres de leurs lunettes grillaient des cigarettes fébriles. Il se fit délivrer une carte provisoire dans un bureau à claire-voie avant de traverser la vaste salle des imprimés vers celle des catalogues, au sous-sol, où l'on accède par un double escalier blanc qui évoque fugitivement le métro de Moscou. Il consulta toute sorte de fichiers, à la recherche d'ouvrages traitant de l'émigration française en général, bas-alpine au Mexique et au XIXᵉ siècle en particulier, mais ces éléments le renvoyèrent à des corpus si gigantesques et qui interféraient si peu qu'un examen hâtif du livre III du Code civil acheva de le décourager. Il remonta vers la salle de lecture où il trouva une place, après avoir remis au préposé idoine une fiche avec les références d'un de ces romans qu'il lisait ou relisait chez lui, le soir, avant d'éteindre, pendant que Véronique dormait déjà.

Tandis qu'on recherchait l'ouvrage, Georges inspecta la salle énorme, cerclée de hautes murailles d'in-folio auxquels on accédait par un réseau de passerelles et d'échelles métalliques comme sur un vieux navire de guerre. Distillée par les verres de la coupole, une lueur sous-marine nuançait à peine celle des lampes, dans le halo desquelles des rangs de consultants arrondissaient leurs nuques de galériens. Enfin, on apporta son livre à Georges. Il l'ouvrit, il n'avait plus très envie de lire, une jeune femme venait de s'installer en face de lui.

La jeune femme portait une robe noire avec de minuscules détails bleu-gris, ses yeux étaient bleu-gris, ses cheveux blonds ; elle était coiffée comme Angie Dickinson dans *Point Blank*. A deux ou trois reprises, Georges imagina d'attirer son attention par des gestes discrets qu'il était seul à remarquer. Puis il délaissa cette idée, feuilleta son roman sans lire aucun des mots qui passaient sous ses yeux ; puis se leva, s'éloigna, se retourna vers la jeune femme ; elle n'avait pas bougé.

Il remonta la rue de Richelieu vers les boulevards. Devant le passage clouté de la rue du Quatre-Septembre, il y eut des talons rapides derrière lui, il se retourna : elle avait dû quitter la Bibliothèque juste après son départ. Le feu passa au rouge comme il allait s'approcher d'elle, Georges fut happé par un flot de piétons résolus d'où il ne put s'extraire que sur la rive opposée, pour apercevoir la jeune femme trop loin devant lui maintenant. Mais elle se retournait, n'avait-elle pas souri, il fallait la rejoindre ; elle marchait vite, il la perdit de vue. Il l'aperçut à nouveau rue des Panoramas, comme elle allait se perdre dans un réseau de passages derrière le musée Grévin. Il accéléra le pas, elle se retournait encore, devant la vitrine d'une petite mercerie. Il courut, poussa la porte juste après elle.

Une boutique exiguë, pleine d'ombres et d'angles ; une vieille dame cernée d'articles défraîchis. La jeune femme était tournée vers un assortiment de galons. Georges essoufflé se trouvait seul devant la vieille dame qui lui demandait ce qu'il voulait, il regarda un peu autour de lui avant de répondre qu'il voulait du ruban, voilà, un peu de ruban.

– Quel genre de ruban ?

– Oh, du ruban, dit Georges. Du ruban tout simple. Rose.

– Dans le rose, j'en ai du joli en gros de Naples.

– C'est ça, dit Georges, du gros de Naples, très bien.

Il n'osait pas regarder la jeune femme, ni la vieille dame en face.

– Je vous en mets combien ?

– Très peu, protesta Georges. Dix centimètres, par exemple.

– C'est au mètre, monsieur, indiqua la vieille dame.

– Eh bien disons dix mètres, fit Georges troublé.

Il paya rapidement, saisit le ruban en vrac, sortit promptement de la boutique, après quoi la jeune femme en robe noire acheta une Fermeture Éclair bleue.

Quand elle sortit à son tour, Georges attendait près de la porte. Il lui tendit la brassée de ruban.

– Ceci vous revient, dit-il.

– Mais pas du tout, dit-elle.

– Prenez-le, insista Georges, ça pourra vous servir. Ça peut toujours servir. Moi, je n'en aurai pas d'usage.

Il eut un faux mouvement, le gros de Naples se dénoua, déferla entre eux en cataracte rose. Elle se mit à rire. Elle s'appelait Jenny Weltman, elle était née à Ostende, elle était pressée. Georges avait juste le temps de lui dire son nom à lui, et qu'il voulait la revoir, et qu'il serait le surlendemain dans un bar du Trocadéro. Pourquoi le surlendemain. Pourquoi le Trocadéro. Pourquoi pas le lendemain à la Muette, dans trois jours au métro Télégraphe, le soir même à Picpus-Courteline. Parce que Georges fut pris au dépourvu, prononça les premières choses un peu spatio-temporelles qui lui vinrent à l'idée, et juste après la jeune femme était déjà loin mais elle se retournait vers lui, souriait encore, disparut.

C'était le milieu du jour, et Georges n'avait plus rien à faire. Il marcha le long des grands boulevards, entrant parfois dans des magasins neufs d'allure provisoire qui étalaient à bas prix toute sorte d'objets saisis sous douane, alliant de la laideur à peu d'utilité. Un homme l'aborda, vers Bonne-Nouvelle, pour lui vendre une montre ; ils discutèrent un moment sans résultat. Place de la République, il visita un commerce de livres neufs soldés, feuilleta longuement un ouvrage consacré aux oiseaux exotiques jusqu'à ce que le soldeur lui eût demandé s'il voulait l'acheter ce livre ou quoi, alors il rentra chez lui.

Il ouvrit la porte, suivit le couloir jaune aux murs tapissés de photographies de films qui avaient dû être exposées souvent, longtemps, dans les entrées de nombreux cinémas, car des colonies de punaises avaient entièrement perforé leurs coins, parfois même il n'y avait plus de coins. Les photogrammes représentaient des scènes d'amour, des scènes de violence, des scènes mal définies où l'on reconnaissait Katherine Hepburn et Bette Davis, ou Jane Russell et Michael Caine, Sterling Hayden ou Ben Gazzara, et même Barbara Steele ou Fernandel, et Angie Dickinson dans *Point Blank*, la scène où Lee Marvin revient la voir.

Une lumière pâle et mate débordait d'un soupirail haut percé dans le milieu du couloir qu'elle irriguait à peine, et les deux pièces principales étaient exposées au nord, un nord obturé de toute façon par un mur charbonneux. Georges passait donc le plus clair de son temps dans la cuisine, ne se rendant qu'au soir dans ces pièces peu meublées : un lit, une table, des sièges, les disques, nulle image sur les murs sinon, dans la pièce la plus sombre, une reproduction grandeur nature du portrait de Sarah Bernhardt par Clairins. Il s'installa sur une chaise, près de la fenêtre qui donnait sur la cour, et le soleil d'automne tomba sur lui comme la récompense de quelque chose, la délivrance d'autre chose ou la promesse d'une troisième chose, mais pour un moment seulement.

Il avait posé sur la table, parmi les miettes et les ronds de vin sec, deux gros tomes d'une encyclopédie. Le cylindre de soleil mûrissait sur lui comme une prune. Il chercha d'abord Weltman, personne ne répondait à ce nom dans cet ouvrage, puis il parcourut les planches d'ornithologie – puis Véronique parut.

– Tu es déjà là, dit-elle.

– Non, dit Georges, je suis encore là.

– Oui, bon, soupira-t-elle.

– C'est différent, dit-il, c'est assez différent.

Elle disparut, il alluma une cigarette, immergé dans son cylindre que le mouvement de l'astre transmuait en cône plein de fumée bleue, s'aiguisant lentement jusqu'à n'être plus qu'un rayon, un long pinceau pointu illuminant avant de s'éteindre le défilement lent des chiffres sur le compteur à gaz. L'ombre venue, Georges sortit. Il se remit à marcher dans les rues, pensant à Jenny Weltman. C'était une image, déjà dans sa mémoire, un souvenir clair, bleu-gris, noir et blanc. Il marcha. Il lui restait quatre heures à perdre avant la réunion du soir, dans le bureau de Benedetti. Il les perdrait.

9

– Il a retrouvé cette femme, disait Bock. Ripert l'a mal pris, bien sûr. Il m'a même dit de me méfier. Mais moi, pourquoi je me méfierais de ce type ?

Une lampe était allumée à côté de lui, une petite lampe de chevet en verre avec un abat-jour rouge, posée sur une sculpture oblongue en granit gris, dont les reliefs informes concrétisaient malhabilement une idée imprécise. Il n'y avait pas d'autre éclairage dans la pièce. Les rideaux étaient tirés. La silhouette de l'homme assis derrière Bock se signalait juste par le reflet d'une épingle de cravate en forme de flèche, qui luisait dans la pénombre comme un insecte doré.

– Je l'aime bien, moi, ce type, poursuivit Bock, il me rappelle un peu mon oncle. Il n'a pas l'air calculateur. Quoique mon oncle était calculateur, dans son genre. Mais lui, non. Pourtant, il me fait penser à mon oncle. Est-ce que je me fais bien comprendre ?

L'homme assis ne répondit pas. Il remua à peine sur son siège, et la flèche d'or accomplit un mouvement infime dans l'espace, point zénonique minimal.

– J'ai rêvé de lui, tiens. De ce type, je veux dire. Enfin, ce n'était pas lui, c'était un soldat de plomb, grand comme un homme, avec son visage à lui. En uniforme de dragon dix-huitième, ça je me souviens très bien. Il ne bougeait pas, il était en plomb. Moi je le regardais, je ne faisais rien. Si, je crois que je tenais un chien en laisse, oui, un chien qui dormait par terre au bout de sa laisse. Je cherchais un endroit où j'aurais pu l'accrocher, cette laisse. Je ne me souviens pas du reste.

Bock se tortilla pour extraire un petit cigare de sa poche, l'alluma puis tira vers lui un cendrier monté sur pied, avec un gros bouton actionnant un système centrifuge. Il appuya deux ou trois fois sur le bouton avant de poursuivre.

– Ça ne va pas si fort, l'agence. Il y a quelques contrats, mais ça s'épuisera vite. Si ça continue, ça va être comme il y a deux ans, compression de personnel. Et ce type qui fait le malin, c'est lui que Benedetti voudra garder. Peut-être que Ripert a raison. Peut-être qu'il vaudrait mieux se débarrasser de lui, je ne sais pas, moi, le décourager. Lui casser la gueule.

– Oui, dit l'homme assis.

– C'est ça, fit Bock, lui casser la gueule, lui casser la gueule. Peut-être que c'est ça.

– Bien, exprima l'autre.

– J'ai tort de m'énerver, jugea Bock. D'ailleurs je crois que c'est l'heure.

– Est-ce que cette rivalité, voulut dire l'homme assis.

– Laissez tomber, dit Bock. C'est l'heure.

Il se leva du divan, tira de sa poche une couple de billets tièdes et froissés. De son côté, l'homme assis ne l'était plus.

– Je ne serai peut-être pas là mardi, annonça Bock. Je risque de ne pas pouvoir venir.

– Oui, fit l'autre, vous connaissez nos conventions.

– Vous êtes dur, dit Bock.

L'autre sourit mécaniquement en le précédant vers la porte, puis lui tendit une main qui pendait au bout de son bras comme un jet de pression trop faible.

– C'est dur, tout est dur, insista Bock en tendant la sienne moite.

– Ça va aller, dit l'homme. Un comprimé de plus au besoin, hein, le matin, en plus du traitement habituel.

Quatre heures plus tard, vêtu d'un costume sombre avec des chaussures à petits trous, Benedetti classait des papiers tout en jetant des regards techniques sur ses adjoints par-dessus ses verres en demi-lunes. On se taisait. Le téléphone sonna. Oui, dit Benedetti, c'est moi. Silence. Vous en êtes sûr ? Silence. Combien de temps ? Silence. Je comprends. C'est terrible. Je vais essayer, merci, je passerai ce soir. Silence. Oui, je vais essayer. Il raccrocha, laissa un instant sa main posée sur l'appareil, puis il poussa les papiers de côté et s'absorba dans l'examen du plateau vide de son bureau. Silence. Il releva les yeux, considéra ses employés l'un après l'autre avec un hochement sentencieux, ramena les papiers vers lui. Où en sommes-nous ? demanda-t-il.

Bock avait mis son corps rhombique à califourchon sur une chaise, son menton sur ses bras croisés, et Ripert était perché sur la tablette du radiateur, ses longues jambes ballantes, ses longs doigts posés sur ses genoux. Toujours adossé à la bibliothèque, Georges avoua n'avoir pas progressé dans l'étude du testament Ferro. Rien de surprenant, fit Benedetti d'une voix lasse, poursuivons. Ripert ensuite, désignant l'arc-en-ciel brun sur son front, parla encore d'accident du travail, de jours de repos ; Benedetti soupira, griffonna un bout de papier qu'il lui tendit. Merci, dit Ripert. N'en abusez pas, dit Benedetti. Quant au perroquet Morgan, Bock expliqua qu'il était sur une piste en province et qu'il serait peut-être absent mardi. D'accord, dit Benedetti, puis il prononça d'une voix absente un petit discours où il était question de pression fiscale, de charges patronales, de ce que ces choses avaient de navrant, Georges relisait les titres au dos des livres. On se leva, Benedetti vint vers lui :

— Encore bravo, pour madame Degas.

— Un coup de chance, dit Georges.

— On dit ça, fit Benedetti. Pour l'oiseau, Bock, vous n'avez pas besoin d'un coup de main ?

— Non, répondit Bock nerveusement.

On s'en fut. Georges gagna le boulevard de Strasbourg, qu'il remonta jusqu'au premier téléphone public. C'était une cabine à trois places, ses portes s'ouvraient difficilement. L'un des appareils était démuni de combiné, le corps d'un autre avait été coupé en deux, apparemment à la hache, et un jeune homme craintif monopolisait le troisième, un journal déplié devant lui à la page des annonces. Georges patienta en consultant ce qui restait des annuaires attenants aux machines dévastées : des Weltman, écrit comme ça, il y en avait deux.

Le jeune homme raccrocha brusquement, quitta la cabine en courant vers son avenir, et Georges composa le premier numéro. Une voix de femme répondit, plutôt aigre et dure. Pas du tout ça.

— Bonjour madame, dit Georges, pourrais-je parler à Jenny ?

— C'est une erreur, grinça la voix.

— Vous en êtes sûre ?

On avait raccroché. Georges songea un instant, puis forma l'autre numéro, auquel correspondait symétriquement une voix d'homme mûr et mou.

— Bonjour monsieur, dit Georges, vous êtes en direct avec nous sur l'antenne pour notre jeu « Manque de bol ». Eteignez le transistor près de vous, je vous prie, cela provoque des interférences désagréables pour nos auditeurs. Merci. Et passez-moi Jenny.

— Mais il n'y a pas de Jenny ici, dit l'homme.

— Manque de bol, s'exclama Georges. Voici votre seconde chance, monsieur. Connaissez-vous une personne nommée Jenny ?

— Non, je ne crois pas, répondit l'homme, c'est pour quoi ?

— Manque de bol, proféra Georges derechef. Vous en êtes bien sûr ? Ce prénom ne vous dit vraiment rien ? Vous êtes en train de perdre un million, vous vous rendez compte de ça ?

— Nouveau ? fit l'homme. Je ne sais pas, je ne sais pas. Est-ce qu'une Geneviève pourrait aller ?

— Tout dépend, dit Georges. Possède-t-elle une robe noire ? Avec des petits trucs bleu-gris ? C'est votre troisième chance.

— Je ne sais plus, s'affola la voix, c'était ma tante, du côté de mon père. J'ai encore des photos, je peux regarder, attendez un instant.

— Manque de bol, cria Georges dans l'appareil. Vous avez perdu, monsieur, vous avez perdu un paquet d'argent, vous devez l'avoir mauvaise. Tant pis pour vous, après tout vous ne m'êtes rien. Manque de bol ! Notre jeu n'a jamais aussi bien mérité son nom.

Il raccrocha. Elle n'était donc pas dans l'annuaire. Rentré chez lui, son propre téléphone sonnait.

— Chave, dit brièvement Benedetti, ce serait bien si vous pouviez jeter un œil sur cette histoire de perroquet, hein. J'ai des affaires en attente, là, il faudrait régler ça assez vite.

— Je peux essayer de voir, dit Georges.

— Oui, oui, essayez de voir. J'ai eu des nouvelles de ma femme tout à l'heure, changea-t-il brusquement de ton. Elle est malade, vous savez, ils disent qu'elle n'en a pas pour longtemps. Je ne sais pas pourquoi je vous dis ça.

– Je comprends, dit Georges. C'est terrible.

– Oui, dit Benedetti, c'est terrible. C'est terrible. Qu'est-ce que c'est que ce nom, Chave, votre nom ? digressa-t-il au bout d'un bref silence. C'est de quelle région ?

– Je ne sais pas trop, dit Georges, il y a un boulevard à Marseille qui s'appelle comme ça. C'est là qu'on coupait la tête aux gens, dans le temps.

– Ah oui, fit Benedetti sans entrain. Bon. Eh bien voilà. Tâchez de voir pour cet oiseau, hein, tenez-moi au courant. Vous pouvez prendre du temps sur le dossier Ferro, ça peut attendre.

– Ça ne va pas plaire à Bock, objecta Georges. En principe, c'est lui qui s'occupe du perroquet.

– Je sais, dit Benedetti, je sais, c'est pour ça que je vous appelle maintenant. Je n'ai pas voulu en parler devant lui. Que c'est contrariant, Chave, ces problèmes de personnes. Sont-ils vraiment inévitables ? Ne serait-il pas mieux d'être tous explicites, transparents, dans une sorte d'harmonie des consciences, je ne sais pas, je ne sais pas si c'est possible. Et vous, Chave ? Eh, Chave.

– Oui, dit Georges, je suis là.

– Bon, raccourcit brusquement Benedetti, alors vous me trouvez cet oiseau, hein. Mort ou vif avant lundi, si possible. Bonsoir.

– Bonsoir, chef, dit Georges.

10

Samedi après-midi, Fred roulait par les ruelles déso-
lées de Montrouge, à bord d'une Mazda jaune de location. Il faisait frais, la lumière était blanche, l'air lourd
et silencieux. Un moment, Fred alluma la radio, dans
laquelle des hommes aux voix repues s'empoignaient à
propos de Brahms, après quoi on passa du Brahms.

Au bout d'une ruelle il y avait un portail sur la droite,
avec une grille ouverte. Fred passa le portail et vint se
garer devant un long bâtiment blanc et sale, entouré
d'un petit parc dans les allées duquel évoluaient avec
lenteur des ressortissants du troisième âge, seuls ou par
couples, l'un traînant parfois l'autre. Sur des bancs
épars, des brochettes d'aïeuls se serraient étroitement.
Près de l'entrée du bâtiment, une infirmière stagiaire
poussait la chaise roulante d'un jeune homme idiot,
serré dans une couverture à carreaux verts et violets
d'où dépassaient sa figure dysmorphique et ses pieds
auxquels pendaient des espadrilles bleu marine. L'une
des espadrilles raclait le sol, tombait régulièrement, et
le jeune homme trépignait de bonheur chaque fois que
la stagiaire se baissait pour la récupérer avant de se
remettre à pousser la chaise en faisant gentiment admirer au jeune homme les arbustes pourris parmi les touffes d'herbe grise, entre lesquelles se faufilaient des chats
au poil gluant. Fred monta trois marches, traversa une
espèce de hall où se tenait un vieillard aux dents de

lapin qui lui demanda une cigarette, une petite cigarette, et Fred lui conseilla doucement d'aller crever.

Courtaude et pataude, une grosse femme lente en habit de nurse se tenait derrière un guichet. Fred s'approcha d'elle et dit qu'il voulait rendre visite à un monsieur Léon Richaud. Elle fit courir son doigt sur un registre fripé.

– Il est au plus mal, dit-elle.

– Qu'est-ce que ça change ? demanda Fred.

Elle posa sur lui un regard torve et rural.

– Comprenez, dit gravement Fred, il n'a que moi. Qu'il me voie avant que, enfin, qu'il m'ait vu.

– La trois, dit la nurse en montrant l'entrée d'un couloir.

Fred s'engagea dans le couloir. Il y régnait une puissante odeur composite de soupe aigre, de désinfectant et d'excrément, surtout d'excrément, et les murs étaient peints en jaune et brun, et Fred trouvait tout cela écœurant et grotesque. Les portes des chambres étaient battantes à claire-voie, une chaise calait celle de la première, meublée de six lits occupés dont trois cernés de barrières métalliques pour qu'aucun grabataire n'en tombât ; nul bruit ne s'en échappait. La porte de la chambre deux était fermée ; pas de bruit non plus. La trois était également close mais on entendait des voix à l'intérieur, deux voix d'hommes – une jeune patiente, une vieille aigrie.

– J'avais déjà un tuyau pour manger, récriminait la vieille aigrie. Maintenant celui-là de l'autre côté. A quoi je sers, moi, là-dedans ?

– Ça vous facilite la vie, plaida audacieusement la jeune patiente. Votre corps fonctionne mieux avec ça. Vous n'avez pas envie qu'il fonctionne bien, votre corps ?

La vieille voix se défit en un rire ignoble.

– Plus rien qui marche, tout ça peut se faire sans moi. J'avais un cousin, enchaîna-t-elle sans transition perceptible. J'ai un cousin, Gratien.

Elle se tut abruptement. Fred retenait son souffle de l'autre côté de la porte.

– Oui, fit l'autre, votre cousin. Votre cousin Gratien.

– Ça lui serait pas arrivé, à Gratien. Avec lui, les docteurs, les docteurs avec lui ça valsait.

– Vous l'aimez bien, se risqua la jeune voix. Vous l'aimiez bien, votre cousin.

– Prrt, produisit la vieille. Avec lui ça valsait. Et puis les sous.

– Oui.

– Puis il est parti. Il a peut-être passé, hein. On fait que tourner. On passe tous.

– Oui, reconnut l'autre, c'est vrai qu'on passe tous.

– Et puis les sous, tous les sous, s'essoufflait le vieil organe, des sous à lui, hein, les siens. Pas à moi. Pas moi qui lui aurais pris. Foutu pour foutu, ajouta-t-il obscurément.

Fred dut alors se redresser car un invalide progressait avec une grande lenteur depuis le fond du couloir en s'aidant de la main courante. Des éléments de la conversation se perdirent. L'invalide dépassa Fred sans le regarder, s'éloigna, Fred se recolla contre la porte ; son souffle se suspendit à nouveau.

– Ils voudraient savoir où il est, disait l'homme en effet. Les sous, toujours pareil, tout le monde en voudrait beaucoup. Mais qu'on m'emmerde pas avec ça. Il est parti, Gratien, on sait pas où il est. Qu'on me cherche pas.

– Qui pourrait vous chercher ? fit l'autre patiemment.

– Ils croient que je peux dire, haleta encore l'ancienne tessiture, mais je dirai pas, faut le dire. Faut leur dire, que je dirai pas. Faut dire que je sais pas.

– Bien, dit l'autre, je vais vous laisser. Je repasserai demain.

– Faut le dire, insista faiblement le vieillard.

Fred se redressa, prit l'air de rien, et le propriétaire de la jeune voix sortit de la chambre. C'était un brun frisé, maigre, d'aspect appliqué, avec des lunettes sans monture et une blouse blanche au col relevé. Il porta sur Fred un regard offensé en passant devant lui. Après qu'il eut complètement disparu, Fred rafla une blouse qui pendait en feuille morte au moignon d'un porte-manteau, l'enfila ; elle lui allait comme un gant sale. Fred poussa la porte, entra dans la chambre.

Léon Richaud avait un long visage creux, de grands yeux pâles tassés au fond des orbites, des friselis blancs sur les tempes, de longs poils blancs dans les oreilles et dans le nez. Il était couché, vêtu d'un pyjama à grosses rayures, ses poings fermés sur les draps tout au bout de ses bras maigres. Chance pour Fred, trois lits étaient vides dans la chambre, et les deux restants contenaient des pensionnaires encore endormis ou déjà morts. Le vieil homme considéra Fred avec méfiance lorsque celui-ci s'assit au pied de son lit.

– Je suis le docteur Péroné, dit Fred. C'est moi qui vais venir vous voir, maintenant.

L'autre ne manifesta nul enthousiasme à cette nouvelle.

– Alors, dit Fred, comment ça va aujourd'hui, monsieur Richaud ?

Léon Richaud cilla pour toute réponse. Sa commissure gauche esquissa un rictus résigné.

– Mon assistant (Fred désigna la porte) vient de me

parler de ce problème avec votre cousin, monsieur Ferro. Monsieur Gratien Ferro, c'est ça ?

Le vieil homme se raidit aussitôt.

– Vous êtes inquiet, constata posément Fred. Ce problème vous préoccupe.

Le vieillard secoua violemment et négativement la tête. Il convenait d'agir vite. Quelqu'un pouvait entrer dans la chambre à tout instant. Fred renonça aux nuances. Il se poussa contre Léon Richaud et lui saisit le bras.

– Le mieux, c'est encore d'en parler, monsieur Richaud, fit-il avec douceur. Il faut dire les choses. Après vous vous sentirez mieux, vous verrez. Vous serez tranquille. Personne ne viendra vous embêter.

L'autre s'agita puis s'affola, ouvrit grand sa bouche, sur laquelle Fred plaqua immédiatement sa main.

– Vous me dites, chuchota Fred, vous me dites juste où il est, Gratien. Ensuite je m'en vais et on n'en parle plus.

Léon Richaud remua convulsivement sous la pression. Son visage fonçait. Fred libéra un coin de sa bouche.

– Allez-y, suggéra-t-il.

– Faut leur dire que je sais pas, crachota de biais l'homme âgé.

– Vous m'avez mal compris, fit remarquer Fred.

Mais, juste à cet instant, il ne sentit plus aucune résistance sous sa main, comme s'il exerçait soudain son emprise sur le vide. Il s'écarta. Léon Richaud ne bougeait plus, la vie l'avait quitté, ses yeux restaient figés dans la direction de Fred, qui s'écarta encore pour échapper à leur champ mort. Merde, énonça-t-il doucement. Je ne voulais pas ça, pensa-t-il vainement. Il se leva, marcha vers la porte en ôtant sa blouse avec difficulté, et une heure plus tard il se trouvait au fond d'une brasserie de la porte d'Orléans, où l'attendait un homme tapi dans un coin sombre devant une bière brune, dissimulé sous un chapeau et des lunettes épaisses.

– Ça ne s'est pas bien passé à l'hospice, monsieur Gibbs, dit Fred. Ça ne donnera plus rien, il ne faut plus y compter.

– C'est embêtant, dit le monsieur Gibbs. Tant pis, n'y pensons plus.

– C'est ça, dit Fred, n'y pensons plus.

– Et Benedetti ?

– C'est délicat, j'ai du mal à le joindre, éluda Fred. Mais vous pourriez peut-être vous en occuper vous-même.

– Est-ce que je vais savoir comment faire ? s'inquiéta monsieur Gibbs.

– Je vous expliquerai tout. Ce serait bien de rencontrer quelqu'un de chez lui, voyez-vous, quelqu'un qui pourrait travailler pour nous en même temps. Je peux arranger ça, j'ai un peu préparé le terrain avant de vous en parler.

– Bon, faites au mieux. Tenez-moi au courant.

– Je fais au mieux, dit Fred. Et cette histoire de secte, là, vous achetez ?

– Je crois, dit monsieur Gibbs. J'aurai aussi besoin de vous pour ça, il faudra me préciser les détails. Appelez-moi demain. Vous prendrez bien quelque chose ?

– Pas le temps, répondit Fred en se levant.

Ensuite, un peu avant vingt-trois heures, Fred se trouvait à l'intérieur de la Mazda garée devant le petit arc de triomphe du Carrousel. A la lumière du plafonnier, Fred lisait *Phèdre* dans une vieille édition scolaire vert bouteille, ravi que ce nom fût une anagramme phoné-

75

tiquement correcte du sien. Il lisait lentement, il était impressionné par sa lecture ; il était sensible à l'idée selon laquelle quelques crimes toujours précèdent les grands crimes. L'intérieur des vitres de la voiture était enduit d'une buée épaisse qui se condensait parfois en grosses gouttes lourdes, rapides.

A vingt-trois heures, un mécanisme fixé à son poignet déclencha une transcription des trompettes d'Aïda pour bracelet-montre, et Fred ferma le petit livre à regret. Il épongea le pare-brise d'un Kleenex, démarra pour effectuer un parcours bref sous les guichets du Louvre et traversa la rue de Rivoli pour s'établir en double file au bas de l'avenue de l'Opéra. De là, il voyait bien les portes du Théâtre-Français entre lesquelles des affiches jaunes d'allure officielle annonçaient *Phèdre*. Il attendit. Il avait repris le livre, le feuilletait, lisait un vers par-ci par-là puis se le répétait plusieurs fois pour en dégager le sens, le charme, sans y parvenir toujours.

Les portes du théâtre s'ouvrirent, le public sortit, un temps, puis le personnel sortit, parmi lequel trois personnes traversèrent la rue de Richelieu vers la Mazda. Fred ouvrit les portières, le groupe se répartit sur les banquettes : deux hommes, une femme. L'un des hommes était osseux, aigu, mat, cheveux courts, vêtements verts, trente ans. La femme était rose, ronde, blonde, trente ans. L'autre homme était également blond mais bouclé, athlétique mais extraordinairement pâle, vingt-cinq ans.

– Bonsoir, dit Fred. je m'appelle Fred.

– On sait, dit l'homme osseux. Elle nous a dit. C'est pour quoi faire, au juste ?

– Long à expliquer, résuma Fred. Allons boire un verre.

– Chez vous ?

76

– Non, dit Fred, j'habite à l'hôtel.

Il vira dans l'avenue de l'Opéra pour rejoindre la rue Saint-Honoré, par quoi il parvint au Châtelet d'où ils gagnèrent le café Sarah-Bernhardt. Pendant le trajet, Fred apprit que le jeune homme blond s'appelait Baptiste et tenait un rôle de garde dans *Phèdre*. La blonde ronde se nommait Béatrice et jouait Panope, une suivante de Phèdre, celle qui dit « Elle expire, seigneur ! » tout à fait à la fin. L'osseux assis à côté de Fred n'appartenait pas au milieu du spectacle, mais prétendait répondre au nom de Barrymore. Baptiste et Béatrice formaient un couple, ils s'embrassaient sans discontinuer sur la banquette arrière. Fred essaya une ou deux fois de leur parler de Phèdre mais cela les faisait rire, ils s'embrassaient de plus belle, il renonça.

Au Sarah-Bernhardt, ils voulurent du chocolat qu'on leur servit mousseux, écumant dans des tasses trop épaisses. Le cognac de Fred brillait devant lui comme un bloc d'ambre rond.

– C'est comme une pièce, expliqua-t-il, c'est un peu comme une pièce. Vous apprenez un texte, je vous dis en gros la mise en scène et vous jouez. Une journée et demie, cinq mille francs chacun.

– D'accord, dit Barrymore. Dans ces conditions, d'accord.

– Il faudra s'occuper d'un type. On peut prévoir ses réactions, ça ne devrait pas être compliqué.

– Rien de sexuel ? demanda Béatrice.

– Rien de sexuel, dit Fred, en principe rien de sexuel. Evidemment c'est à vous de voir, éventuellement.

– C'est un ennemi à vous ? questionna Baptiste. Quelqu'un qui vous cherche des histoires ?

– Non, dit Fred. Sa vaine inimitié n'est pas ce que je crains.

11

Dimanche, en fin d'après-midi, le Cirque d'Hiver allait ouvrir ses portes. Le spectacle comprendrait notamment une montreuse d'éléphants nommée Leslie Bogomoletz, trente ours blancs du pôle avec un ours noir tibétain, les otaries du capitaine Froehn, les Flying Gonzales et les lapins de Gilette Milan. Bien avant l'heure convenue, une file s'était formée devant l'entrée du cirque, occupant tout le trottoir jusqu'au bar le plus proche, à droite, derrière la vitre duquel Georges et Véronique étaient assis. Bernard Calvert entra dans le bar, leur fit un signe. Véronique lui sourit. Il s'approcha, s'assit à leur table.

– Vous avez vu tous ces gens ? Des années que je ne suis plus allé au cirque.

– Moi non plus, dit Véronique.

– Des souvenirs, dit Bernard Calvert, juste des souvenirs.

Georges ne dit rien, ne s'opposa à rien, et se retrouva ainsi quarante minutes plus tard encastré dans un fauteuil raide qui surplombait la piste. Bernard Calvert était assis de l'autre côté de Véronique.

Au-dessous d'eux, un homme au profil de médaille, vêtu d'un smoking rouge, pérorait dans un rond de lumière blanche. Tâchant de ne pas couvrir sa voix, établie derrière lui sur un praticable concave, une petite formation se composait de deux cuivres, d'un

78

jeune organiste frêle et d'un batteur coiffé comme un coiffeur.

Le smoking rouge disparut, on fit le noir. Dans les hauteurs du chapiteau, une lumière mauve se déplaçait rapidement, avec une minuscule forme vivante à l'intérieur : un singe, vêtu en bohémien, qui descendait en bondissant par angles aigus entre les trapèzes et les échelles de corde ; il toucha la piste en même temps que surgit de la coulisse, les bras ouverts, un homme en maillot doré qui rejeta derrière lui sa cape rose avant de s'élancer vers les agrès. La foule en rond leva les yeux, Georges rouvrit les siens quand la foule applaudit. Puis Leslie Bogomoletz escamota quatre éléphants après les avoir fait évoluer sur un câble. Puis un dresseur d'oiseaux reconstitua une scène de gare : les cris et roucoulements mêlés dessinaient des bruits de train, des sifflets, quelques oiseaux parleurs ordonnaient de reculer, de fermer les portes, attention au départ, au revoir maman. Puis un homme jongla avec des verres de vin, une femme se tint sur son doigt sur une boule, puis il y eut quelques clowns, l'un d'eux explosa. L'homme en rouge annonça un entracte, déjà les garçons de piste dressaient des grilles en prévision des fauves, Véronique riait de ce que disait Bernard Calvert ; Georges se leva.

A l'entrée du cirque, deux amiraux commentaient un hebdomadaire hippique. Ils indiquèrent à Georges la ménagerie exceptionnelle, où il se trouva seul dans son genre humain – les visiteurs viendraient plus tard, après le spectacle. Georges considéra avec ennui les animaux au repos : aucun d'entre eux ne lui était inconnu, ne présentait la moindre nouveauté, ces bêtes se ressemblaient trop à elles-mêmes. Sans témoins, il fit une grimace à un singe, qui répondit en faisant banalement trembler les barreaux de sa cage. Georges s'approcha d'un haut espace grillagé, cylindrique, fermé à sa base par d'épais barreaux en bois au-dessus desquels tourbillonnaient des colibris et autres volatiles. Une fosse immonde se tenait au-dessous du cylindre, un cloaque où grouillaient des aspics, des crotales. Georges leva les yeux vers les oiseaux. Il les regarda un moment. Son visage était inexpressif. Brusquement, il défit les boutons de son manteau, en écarta les pans comme font les exhibitionnistes, cria :

– Morgan !

Tout en haut de la cage, un gros oiseau mat lâcha son perchoir, se laissa tomber comme une pierre sur les barreaux, avisa un angle où deux d'entre eux étaient un peu disjoints et entreprit de déchiqueter l'obstacle à coups de bec, projetant de la sciure, des copeaux, des esquilles qui retombaient en pluie sur les serpents. Il força le passage, se laissa de nouveau choir, vira à deux mètres du sol pour s'abattre sur Georges qui l'empoigna promptement, l'enfouit sous son manteau et sortit à la hâte. Il n'avait que cent mètres à faire pour arriver chez lui, où il enferma l'animal sans le regarder dans la moins fréquentée des deux pièces. Ensuite, dans la cuisine, il resta un moment sans bouger, debout devant le carré noir de la fenêtre, un verre d'eau à la main. Il n'était pas ému, ni content, ni surpris, il ne pensait à rien. Il retourna au cirque.

Sous la direction du capitaine Froehn, trois otaries exécutaient leur prestation classique, tenant à la pointe du museau de gros ballons rouges décorés d'étoiles vertes, interprétant sans mesure *Le beau Danube bleu* à l'aide d'un dispositif de trompes chromatiques. Entre les exercices, le capitaine tirait d'une poche imperméable de son smoking des poissons argentés, frétillants, qu'il lançait à ses bêtes par-dessus la piste, comme de petits éclairs. Georges descendit les marches entre les rangs de fauteuils pendant que l'homme en rouge présentait Gilette Milan, énumérant les têtes couronnées qui avaient acclamé ses lapins. L'obscurité revint, Georges dut piétiner quelques personnes pour essayer de rejoindre sa place. Il progressait en marmonnant de vagues excuses, et Gilette Milan parut soudain en pleine lumière, entourée de ses soixante rongeurs, et Georges aperçut Véronique et Bernard Calvert tout près l'un de l'autre. Il les regarda une seconde, se retourna, rebroussa chemin alors que l'orchestre attaquait une aventureuse musique pour lapins.

Comme il allait atteindre la porte de son appartement, il entendit à l'intérieur un bruit de conversation qui cessa à son approche, la minuterie de l'escalier s'éteignit en même temps, Georges tressaillit avant de se rappeler le perroquet Morgan. A la cuisine, il disposa un peu de nourriture sur un plateau, avec à tout hasard des fruits pelés pour l'animal. Puis il s'installa dans la pièce qu'il lui avait attribuée, assis par terre à l'angle de deux murs, le plateau sur ses genoux, et il écouta l'oiseau.

C'était en effet le perroquet le plus bavard du monde, incomparable à ceux qu'il nous arrive de croiser çà et là. Naturellement incapable d'un discours organisé, il abondait en formules brèves, interjections, refrains, jurons, slogans en plusieurs langues, ainsi qu'en grondements de machines, grincements de portes, coups de feu, babils de bêtes diverses et cris d'amour. Sa vie avait dû être fertile en voyages, expériences et rencontres, fréquentation de tous milieux. Parfois il se taisait, mais Georges comprit rapidement qu'il suffisait de répéter deux ou trois fois n'importe quoi pour que Morgan le

81

reprît à son compte, avant d'embrayer sur son propre répertoire.

– Bernard Calvert est un con, disait Georges par exemple, tout en laissant couler du ketchup sur du pain. Je répète : Bernard Calvert est un con.

– Calvert est un con, répétait le perroquet. A bon chat bon rat. Mets-le sur la table. Introibo ad altare dei. Attrapez-le, attrapez-le, attrapez-le, attrapez-le.

Il semblait familier de cette injonction. Ensuite il aboya longuement.

– Quoique je n'en ai rien à foutre, poursuivit Georges pour lui-même.

– Rien à foutre, entérina l'oiseau. Mehr Licht. Etablissements Molotov, j'écoute. Dix mille à tout casser. L'azur, l'azur, Jenny Weltman.

Le plateau tomba des genoux de Georges, qui se dressa d'un coup. Il regarda fixement l'animal, posé sur le dossier d'une chaise.

– Qu'est-ce que tu dis ?

– Jenny Weltman, répondit le perroquet.

Georges s'approcha de lui. Répète, dit-il, répète. Répète, répéta Morgan. Non, dit Georges, répète Jenny Weltman. Répète Jenny Weltman, dit le perroquet. Georges s'énerva, prit l'oiseau par une aile et se mit à crier en le secouant. Morgan se dégagea en poussant son propre cri, puis une imitation de celui de Georges, abandonnant une plume de poitrail gris fer dans un envol désordonné vers le haut de l'armoire où il vint se poser, se retournant ensuite vers l'homme avec une expression de reproche, toute l'amertume d'une confiance abusée dans son regard rond. Georges se rassit dans son angle, ramassa son plateau, se remit à manger en surveillant le volatile du coin de l'œil. On se taisait.

La nuit avançait, le perroquet boudait toujours. Georges finit par s'endormir, la tête calée dans le coin du mur, bientôt la plinthe pour oreiller. Il s'éveilla plusieurs fois. Il se leva peu avant huit heures. Le perroquet le regardait toujours. Georges lui présenta des morceaux de pomme comme des excuses, Morgan réagit d'un mouvement de prunelle comme s'il les acceptait. Georges s'en fut chercher un carton d'emballage avec de la ficelle, revint, appela doucement le perroquet par son nom. Morgan descendit de l'armoire sans discuter, en un bref vol plané, se posa calmement dans le carton.

Vers neuf heures, Georges entrait dans le passage Brady par le boulevard de Strasbourg. Brigitte n'était pas encore là, Bock était en province et Ripert en maladie. Georges traversa l'entrée, frappa à la porte du bureau de Benedetti, entra, posa le carton sur une chaise.

– Voici l'animal, dit-il.

Benedetti cessa d'agiter une petite cuiller dans une tasse qu'il tenait à la main, il regarda longuement Georges Chave et lui tendit la tasse, tenez, prenez, car Georges avait l'air sale, fatigué, ses vêtements étaient disjoints, bleues ses joues, cernés ses yeux, puis il retira de sous son bureau une petite caisse d'acier où il entreposait du liquide, tout en déclarant que Georges avait besoin d'une avance.

Mais trois heures plus tard, lorsque Georges rentra rue Oberkampf, Véronique n'était toujours pas là. Elle était passée pendant son absence, puis repartie. Elle avait laissé deux ou trois mots de circonstance sur le miroir de la salle de bains, tracés au bâton de rouge de leur première rencontre qu'elle avait d'ailleurs abandonné là, debout, sur la tablette de verre au-dessus du lavabo.

12

Mais trois heures plus tard Georges arrivait place du Trocadéro, mais au bout de vingt minutes Jenny Weltman n'était toujours pas là non plus, et Georges se lassait de relire les idées dorées de Paul Valéry sur les murs du Palais de Chaillot. Il commanda un café, un autre café, puis un jeune homme qui était déjà passé deux ou trois fois vint occuper une des chaises près de lui.

— Ça ne vous dérange pas, fit le jeune homme presque affirmativement.

Georges répondit par un geste. Il y a quatre ou cinq cafés place du Trocadéro, ils sont vastes, peu fréquentés à cette heure-ci, la place n'y manque pas, on n'a pas besoin de s'y coller les uns aux autres. Le geste de Georges signifiait tout cela.

— Pourquoi, c'est réservé ? demanda le jeune homme, prouvant qu'il comprenait ce geste.

— Appelons ça comme ça, dit Georges.

— A quoi bon, fit l'autre, elle ne viendra pas.

Georges examina l'intrus, le trouva de carrure avantageuse et de peau très blanche, avec des cheveux blonds très clairs et des yeux bleus très pâles, comme si on l'avait longuement plongé dans l'eau de Javel. Il avait l'air d'un ange haltérophile trop précocement sevré, trop souvent reclus dans le cabinet noir, avec un sourire triste d'ancien enfant de troupe. Il portait au poignet une grosse gourmette en métal blanc avec son prénom dessus.

– Ça ne vous va pas mal, dit Georges.

– Merci, dit Baptiste. Elle ne va pas venir, vous savez, insista-t-il. Elles ne viennent jamais.

– Vous parlez sur un plan général ?

– Je suis venu à sa place.

– A la place de qui ?

– Jenny Weltman, vous savez.

– Bon, fit Georges sans amitié, qu'est-ce que vous voulez ?

– Pas trop le temps d'expliquer, dit Baptiste, il va falloir y aller.

– Mais comment ?

– Il faut qu'on y aille, répéta le jeune homme. On y va.

– Mais non, fit Georges. Mais non.

– Vous voulez la voir, ou quoi ?

C'était une Ford Capri ardoise, garée dans une contre-allée de l'avenue Kléber. Georges hésitait.

– Allez, montez, dit Baptiste, montez. Vous la connaîtrez. Vous en connaîtrez d'autres. La vie n'est pas finie pour vous.

Le siège était trop avancé pour les jambes de Georges, qu'il replia en cherchant d'une main aveugle quelque manette permettant de le déplacer. C'est détraqué, indiqua Baptiste. Pour retrouver l'avenue de Wagram, la Ford dessina un arc d'ellipse régulier sur la place de l'Etoile, au mépris des nombreuses priorités. Georges se tenait d'une main au dossier du fauteuil, de l'autre contre le pare-brise. Je connais mon affaire, grogna Baptiste. On dit ça jusqu'au jour, grommela Georges. Ils passèrent la place Clichy et la place Blanche, ils passèrent Pigalle et Barbès où crépitaient des grappes ner-

85

veuses de population active, puis la Chapelle après quoi la foule était moins drue. Purement boulevardier jusque-là, le parcours se compliqua dans un entrelacs de ruelles à partir de l'avenue Secrétan. Georges n'eut pas le temps de lire le nom de celle au bout de laquelle Baptiste gara la Ford, devant un immeuble en brique orné de rosaces de céramique jaune et verte en forme de choux-fleurs.

L'immeuble était équipé d'un ascenseur dans lequel ils s'élevèrent jusqu'au cinquième étage. Baptiste frappa contre la porte de droite, Béatrice ouvrit presque aussitôt. Elle introduisit Georges seul dans une pièce aménagée comme une salle d'attente, sans souci sensible de luxe ni de volupté, où Barrymore se tenait déjà assis, un verre de liquide incolore à la main. Il salua Georges froidement, lui désigna un fauteuil en lui tendant un autre verre. Il leva le sien, Georges l'imita vaguement ; ils burent. Le liquide était une sorte de sirop mal sucré avec un goût de fruit difficile à reconnaître, quelque part entre la mangue et la cerise. Temps mort.

– Ces trucs sans colorants, meubla Georges, il faut faire attention au goût pour savoir ce que c'est. C'est un effort en trop, vous ne trouvez pas ? C'était plus simple avant. Jaune, on savait que c'était le citron. Vert la menthe, orange l'orange, il n'y avait plus qu'à boire sans problème, au fond ça n'était pas plus mal.

Barrymore ne répondit rien à cela. Il leva sur Georges son œil pointu.

– Vous venez voir Jenny Weltman, n'est-ce pas, fit-il d'une voix lointaine et régulière comme un moteur de réfrigérateur. Vous êtes un ami à elle.

– Oui, dit Georges, c'est-à-dire à peine, je l'ai rencontrée l'autre jour.

Barrymore leva une main maigre comme s'il savait tout cela, ou ne voulait rien en savoir.

— Vous la verrez, ne vous inquiétez pas.

— Je ne m'inquiète pas vraiment, dit Georges. Vous êtes des amis à elle ? Vous êtes de sa famille ?

— Sa famille, répéta Barrymore. Oui, absolument, nous sommes de sa famille. C'est bien ça.

Il s'était levé, marchait vers la fenêtre d'où il se mit à contempler une autre fenêtre, parfaitement symétrique à un pot de fleurs près, de l'autre côté de la cour de l'immeuble. Autre temps mort.

— Vous ne vous ressemblez pas tellement, dit Georges. Je veux dire, vous ne lui ressemblez pas tellement.

— C'est vrai, reconnut Barrymore sans se retourner.

Il s'absorbait toujours dans l'examen de la fenêtre opposée, posant sur la vitre la pointe de son nez sans y produire aucune buée, comme si son sang était effectivement froid. Troisième temps mort : c'est trop, pense Georges.

— Bon, dit-il, je crois que je vais partir.

— Vous ne voulez pas la voir ?

Georges regarda Barrymore sans répondre.

— Vous pouvez y aller, elle est là. Juste en face. Allez-y, regardez.

Emu, Georges se dressa gauchement, avec un effort et comme un petit retard sur cet effort. Il lui sembla marcher lentement, en occupant trop d'espace latéral, mais il parvint jusqu'à la fenêtre et en effet Jenny Weltman était là, derrière la fenêtre d'en face, vêtue comme l'autre jour de sa robe noire dont il ne pouvait distinguer, dans le rectangle sombre et luisant, les petits détails bleu-gris. Elle se tenait tellement immobile qu'il crut un instant que ce n'était qu'une image d'elle, un mannequin, mais ils étaient juste assez proches l'un de autre pour qu'il vît alors battre ses cils. Il voulut sourire, faire un geste, mais il ne pouvait pas ; un abîme les séparait, un gouffre au fond duquel traînaient des poubelles, de vieux jouets cassés, des plantes vertes mortes, un téléviseur implosé, la roue veuve d'un vélo.

Un dernier temps, et Jenny Weltman posa un doigt sur ses lèvres, ce qui pouvait signifier plusieurs choses, puis elle disparut. Georges resta en arrêt devant le cadre vide de la fenêtre, comme en face d'un écran redevenu blanc. Il se retourna ; Barrymore s'était rassis. Georges regagna son fauteuil, s'y plongea avec un grand soulagement, une grande satisfaction mêlée à une grande lassitude.

– Vous m'emmerdez, prononça-t-il, et sa bouche avait maintenant du mal à articuler cette idée pourtant simple. Tout le monde m'emmerde, ajouta-t-il avec une profonde, paisible et pâteuse conviction. Je suis fatigué de tout ça. Je vais donc m'en aller.

– Comme vous voulez, dit Barrymore.

Georges voulut donc se lever, mais Georges vit que son corps était de pierre, que ce corps était froid, figé, démobilisé, que seuls ses doigts, ses orteils et son visage détenaient encore un peu d'indépendance, et Georges se vit semblable à ces statues inachevées de Michel-Ange qui sont à Florence, galerie de l'Académie : du marbre brut n'émergent que les fragments d'un être enseveli dans la roche, une cuisse, un torse, un coude levé, l'ébauche d'une face ou d'un sexe, un genou parfaitement poli. Bientôt les mains de Georges se pétrifiaient à leur tour, puis les muscles de ses joues.

– Oh merde, énonça-t-il malaisément. Ah le con.

Il émit un rire bref de primate.

– Trucs sans colorants, produisit-il encore.

Il rit à nouveau, bava, et le principe actif du sirop

envahit d'un coup son organisme entier jusqu'aux moindres poches de résistance, et Georges se laissa tomber sèchement sur le côté, son corps retenu par un bras du fauteuil, sa conscience traversant le sol en chute libre, tombant éperdument vers le milieu du monde, dans un évanouissement sans dimension, sans nuance, sans air, sans rien sur quoi on puisse un peu compter.

13

Il était encore une fois deux hommes qui roulaient sur le boulevard périphérique extérieur dans une 504 bleu métallisé au son de la Marche consulaire à Marengo exécutée par la musique de la Garde républicaine, que diffusaient deux haut-parleurs placés de part et d'autre de l'habitacle. Peu après la porte Champerret, la voiture se trouva coincée dans un embouteillage et l'homme qui la conduisait se mit à jurer. Il était assez grand, ses épaules étaient larges, il portait un costume bleu et une cravate bleue. Ses cheveux étaient brun foncé, ses yeux étaient humides et son visage couperosé s'ornait d'un réseau de veinules écarlates, d'une densité comparable à l'hydrographie de la Beauce. Il s'appelait Guilvinec, il était né à Bannalec, c'était écrit sur une carte barrée de tricolore qu'il détenait dans sa poche intérieure. Il représentait la loi. C'était sa profession.

L'homme assis à côté de Guilvinec était vêtu de gris. Ses yeux et ses cheveux étaient également gris. Il était mince et ramassé comme une flamme qui va s'éteindre, comme elle il était sans éclat, comme elle il tirait quand même l'œil. Il se nommait Crémieux et il exerçait le même métier que Guilvinec. Il feuilletait un gros ouvrage broché. Il leva la tête, prononça quelques mots inaudibles, Guilvinec baissa aussitôt le fort volume martial.

– Qu'est-ce que tu dis ?

– Je dis de baisser la musique, dit Crémieux.

– Eh bien voilà, c'est fait, dit Guilvinec.

– Eh bien tant mieux.

Guilvinec porta sur Crémieux un long regard hostile quoique affectueux, envieux, ombré de respect, ce que lui autorisait l'arrêt total des véhicules alentour sur une surface close de deux kilomètres carrés, puis il formula quelques grossièretés d'une voix douce, puis il passa en première car les hectares automobiles se disposaient à se décaler d'un mètre. Crémieux s'était replongé dans sa lecture, qui était un catalogue de mutuelle proposant à ses adhérents des objets de première nécessité à des prix concurrentiels.

– Tu n'aimes pas la musique ? demanda Guilvinec.

– Non, dit Crémieux, pas tellement.

Ils parcoururent encore un bon quart de périphérique, à la vitesse tranquille d'une grande aiguille sur un cadran. Guilvinec changeait sans cesse de file sous prétexte d'avancer mieux, sans autre raison que s'occuper un peu. A hauteur de Malakoff, ils dépassèrent une voiture renversée sur sa tranche au milieu de la voie, et Guilvinec dit que c'était à cause de ça que c'était comme ça, mais après l'accident c'était encore comme ça. Ils quittèrent le boulevard périphérique à la porte d'Italie, croyant gagner plus vite la porte suivante par les boulevards des maréchaux, mais là aussi c'était comme ça, et même Crémieux commençait à s'énerver. Guilvinec imagina un raccourci qui les fit se perdre du côté d'Alfortville, errer le long de rues et d'avenues permutables, se trouver réduits à quémander leur chemin auprès d'un collègue en tenue. Un peu plus tard, Ivry enfin ralliée, ils atteignirent rapidement le pavillon de Fernand.

Crémieux tira plusieurs fois sur le cordon de sonnette

qui pendait à l'un des piliers. Ce geste ne provoquant aucune réaction, il poussa le portail, égratigna sa flanelle dans un buisson de rosiers qui lorgnaient vers l'état sauvage, approcha de la petite maison. Comme il allait frapper à la porte, un long tube métallique creux jaillit d'un trou ménagé dans celle-ci à hauteur d'homme, et son extrémité vint s'emboîter précisément au bout du nez de l'homme gris.

– Allez, Fernand, c'est moi, dit Crémieux. Ce n'est que moi.

– Et le rougeaud derrière, fit une voix énergique de l'autre côté de la porte. C'est quoi, ce rougeaud ?

– Un collègue, dit Crémieux, un ami.

– On les connaît, tes amis, fit la voix. On vous connaît. Qu'est-ce que tu veux ?

– Rien, dit Crémieux. Je passais.

– Ecoutez-le, s'exclama la voix. Il passait.

Mais le canon se retira lentement, laissant un petit rond blanc sur le nez de Crémieux, et la porte finit par s'ouvrir dans un staccato de chaînes, de loquets, de barres. Crémieux suivit le sexagénaire bougonnant vers une pièce complètement envahie par les livres. Sur des rayons, les livres cachaient les murs jusqu'au plafond, puis ils formaient à travers la pièce de hautes piles instables qui se maintenaient mutuellement comme les gens aux heures chaudes dans les transports en commun. Fernand avait aménagé cette prolifération par des ébauches de meubles : une accumulation cubique d'ouvrages faisait office de table, nivelée à sa surface par une série de grands formats, et un monceau oblong, plus bas, tenait lieu de canapé – voire de canapé-lit par combinaison avec d'autres piles proches. Des tas de journaux, plus vastes et plus mous, pouvaient servir de fauteuils. Crémieux s'installa sur l'un d'eux et Fernand s'assit en face de lui, son fusil sur ses genoux. Les mains dans le dos, Guilvinec examinait par la fenêtre grasse le potager pavillonnaire.

– Et comment vont les affaires ? demanda Crémieux.

– Il n'y a plus d'affaires, répondit Fernand, il n'y a plus rien. Tout est fini. Les gens ne lisent plus.

– Quand même, tu es bien ici. C'est pratiquement la campagne.

– Vos artichauts, il faut faire attention, dit Guilvinec sans se retourner. Avec les froids qui s'annoncent, vous feriez mieux de garder les œilletons sous cloche. Vous les repiquerez au printemps.

– Oui, dit Fernand, de toute façon je n'en mange pas. Comment il s'appelle, ton collègue ?

– Guilvinec.

– Ah, releva Fernand, moi je suis de Brest. Alors comme ça, vous passiez.

– C'est ça, dit Crémieux, on passait. Nous passions. Tu n'aurais pas eu des nouvelles d'un nommé Chave, par hasard, ces jours-ci ?

– Ah c'est ça, fit le bouquiniste, il fallait le dire. Vous passiez pour ça.

– Oui, reconnut Crémieux, on passait pour ça.

– Qu'est-ce que tu lui veux ?

– Rien, minimisa Crémieux, pas grand-chose. Il connaît peut-être quelqu'un qu'on cherche, nous autres. Alors on regarde un peu, histoire de s'occuper. Tu sais ce que c'est.

Fernand considéra Crémieux fixement dans le silence, à peine troublé par Guilvinec qui avait fini par s'asseoir à son tour et qui feuilletait son siège. Puis le sexagénaire se leva brusquement et recula vers la porte en braquant son fusil vers les deux fonctionnaires.

– Allez-vous-en, intima-t-il avec un bref mouvement

de menton. Filez. Je ne suis plus tout jeune mais ça n'est pas pour ça que je vais vous laisser venir m'emmerder, là, chez moi. Allez, tirez-vous. Tirez-vous.

– Ecoute, fit doucement Crémieux, il s'est vraiment passé quelque chose d'embêtant. L'autre soir, vers Jules-Joffrin, pratiquement en face de chez Vermont. Crocognan, tu connais ce nom ? Ça te dit quelque chose ?

– Vermont oui, dit Fernand. Crocognan, non. Sans doute un jeune. Je ne les connais plus, les jeunes. Mais qu'est-ce que je réponds à ce con ? s'indigna-t-il soudain. Allez, va-t'en. Va-t'en, con. Allez-vous-en.

Il agitait son arme, semblait fermé à tout échange, Crémieux se leva en haussant les épaules. Guilvinec suivit le mouvement, jeta un dernier coup d'œil sur le jardin en repassant devant la fenêtre.

– Et votre cerfeuil, là.

– Cassez-vous, hurla Fernand.

– Vous pourriez le protéger.

Le bouquiniste se mit à vouloir jeter des coups de crosse aux deux hommes qui battirent en retraite vers la porte, puis refluèrent vers la 504 en se griffant encore aux rosiers farouches. Le portail, cria encore Fernand. Ça se ferme, un portail. Immobile sur le seuil, sa longue arme au canon terne entre les mains, il surveilla un instant leur départ désordonné, éclata d'un rire frénétique, rentra, claqua la porte derrière lui. Vieux schnock, dit Guilvinec.

Les verrous poussés, Fernand traversa la pièce aux livres, puis une autre pièce à l'abandon pleine de linge froissé, grimpa dix-huit marches pour atteindre un petit bureau meublé d'une vraie chaise et d'une vraie table avec un vieux téléphone dessus. Il s'assit, décrocha, composa un numéro, un autre, laissant longuement sonner chaque fois, provoquant des stridences solitaires qui s'amplifiaient dans des pièces vides, faisaient frémir les vitres, réveillèrent un chat. Au troisième numéro, on finit par décrocher au bout d'une douzaine de sonneries.

– Il n'est pas là, répondit Véronique. Non, aucune idée. Je passais prendre des affaires, j'étais sortie, j'ai entendu sonner. J'ai couru (elle souffla), je suis essoufflée. Oui, je lui dirai, c'est-à-dire que je ne sais pas si je vais le voir. Il n'a pas l'air d'être rentré. Bon, je vais laisser un mot. C'est de la part ?

– Ça ne sert à rien, dit Crémieux en coupant l'intercepteur fixé au tableau de bord de la Peugeot et qui, redevenu émetteur, lança derechef ses accents guerriers. Ils ne savent rien. Il n'y a plus qu'à s'en aller.

– Vieux schnock, répéta Guilvinec. Je lui ai piqué ce truc, tiens, c'est toujours ça de pris.

Il tira un livre caché sous sa veste. J'étais assis dessus, dit-il, ça n'a pas l'air mal, et puis la couverture est bien. C'était une édition de poche en langue anglaise du *Caleb Williams* de William Godwin, dont le titre se détachait en beige sur un dessin de couleurs sombres, représentant un homme au visage soucieux assis à l'intérieur d'un fiacre.

– Tu parles anglais, toi ? demanda Crémieux.

– Non, mais c'est une occasion d'apprendre. Le meilleur moyen pour apprendre, c'est le bain linguistique, tu savais ça ? La couverture est vraiment bien. Tu n'aimes pas la littérature ?

– Non, dit Crémieux. Plus tellement.

– Tiens, fit Guilvinec, le type dans le fiacre, là, sur le dessin. Il te ressemble. On dirait toi.

Il s'était mis à feuilleter le livre, et Crémieux le regardait comme un homme trop seul regarde parfois son chien, avec une indulgence mêlée de désespoir et colorée d'une rancœur sourde. Puis son regard devint fixe et flou. Ho, fit Guilvinec, quelque chose qui ne va pas ? Crémieux s'ébroua, fit signe à l'autre de démarrer.

— Bon, dit-il, on va faire un rapport.

— Oui, chef, dit Guilvinec.

— Pourquoi est-ce que tu m'appelles chef ?

Ils s'éloignèrent. Le bruit de leur moteur décrut, se fondit dans la rumeur lointaine, ils n'étaient plus là. Ils ne sont plus là. Cependant, nous restons. Alentour le paysage est gris et terne. Il fait humide et froid. Tout est désert, on n'entend plus rien que cette rumeur lointaine sans intérêt. Que ne partons-nous pas. Mais voici qu'un autre bruit de moteur naît en coulisse, se précise, s'incarne en une nouvelle voiture qui paraît au bout du passage, s'approche, ralentit et se gare là même où stationnait la 504. C'est la Mazda locative de Fred. Va-t-il se passer quelque chose. Aurions-nous bien fait de rester.

Fred se rua nerveusement dans le chemin étroit qui longeait un côté de la maison jusqu'au jardin. Il entra sans frapper dans la cuisine.

— C'est des façons, ça ? protesta Fernand.

— Bonjour, dit Fred, c'est moi.

— Je vois bien.

— Je passais.

— Ah, toi aussi.

— Quoi, moi aussi ?

— Tu viens toujours pour la même chose ? éluda Fernand. Si c'est ça, c'est non, je te l'ai dit que c'est non.

— Ecoute, dit Fred, il n'y a que toi qui puisses faire ça. Tu l'as connu, Benedetti, tu le connais. Tu peux lui parler de moi, rien qu'un mot. Comprends un peu, c'est important.

– Non, s'obstina Fernand, j'ai dit non.

– Allez, appelle-le, insista Fred. Téléphone, tonton.

– Je ne peux pas, expliqua le tonton, comprends que je ne peux pas. Il y a déjà Georges qui est chez lui. Vous iriez encore vous disputer.

– C'est ça, dit Fred, toi aussi tu préfères Georges.

– Ne sois pas bête, conseilla Fernand.

– Vous avez toujours été contre moi, tous, s'énerva soudain Fred. Mais je m'en fous. Je vous méprise, je crache sur vous. J'en fais mon affaire de tout ça, tu verras. Vous verrez. Je sais ce qu'il me reste à faire.

– Mais qu'est-ce que tu vas imaginer.

Fred cessa totalement de se contenir. Il saisit un bol posé sur la table et le projeta par terre de toutes ses forces. Le récipient explosa, des tessons s'égaillèrent en tous sens, un éclat fit ricochet pour venir frapper Fred à la joue droite. Merde, cria Fred à trois reprises, puis il proféra des menaces de mort incohérentes et généralisées. Une goutte de sang perla sur sa peau, dévalait vers son menton. Il voulut s'essuyer d'un coin de son mouchoir, se barbouilla la moitié du visage. Fernand lui désigna l'évier au-dessous de la fenêtre.

– Va me nettoyer ça, dit-il. Et puis attends, je vais te mettre un peu d'hémostatique.

14

– C'est bien lui, dit Spielvogel le lendemain matin.

Le docteur avait pris le perroquet dans ses bras, il caressait sa tête perle, son poitrail fer, ses ailes souris, ses plumes caudales presque rosâtres, il lui parlait doucement en le réchauffant de son haleine ; Morgan répondait grossièrement. Benedetti regardait la haute pièce claire au-dessus de lui, sans cesse traversée d'oiseaux polychromes comme un petit feu d'artifice diurne, silencieux, aléatoire. Lorsqu'il se fut levé de son siège, Spielvogel le remercia encore, lâcha le perroquet vers ses semblables et brandit un carnet de chèques. Benedetti dit au docteur que rien ne pressait, qu'une note d'honoraires lui parviendrait dans la semaine, puis il prit son congé, se retrouva dehors et traversa la rue vers la Mercedes beige qu'il avait trop de mal à conserver en bon état. Comme il cherchait ses clefs dans ses poches, une jeune fille l'aborda. Elle portait des lunettes rondes, des vêtements blancs mal coupés, des brochures sous son bras.

– L'axe du monde passe par votre cœur, annonça-t-elle, mais vous ne le savez pas.

– Oui, fit Benedetti, excusez-moi, je suis un peu pressé.

– Fermez les yeux, ordonna la jeune fille, écoutez battre votre cœur. C'est le ruisseau d'harmonie qui l'irrigue, n'est-ce pas ? Le sentez-vous ?

– Laissez-moi, s'il vous plaît, dit Benedetti sans parvenir à mettre la main sur son trousseau.

– Détendez-vous, suggéra la jeune fille, respirez, ne pensez à rien. Aspirez, soufflez, aspirez, soufflez. Vous êtes heureux. Le rayon majeur veille sur vous. Vous avez une belle voiture.

– Elle est foutue, avoua Benedetti tout en se fouillant nerveusement.

– Vous avez sûrement une belle femme, ajouta la jeune fille.

– Elle est foutue aussi, dit-il. Tenez.

– Allez, dit la jeune fille en empochant l'argent, répétez les sept noms. Le ruisseau d'harmonie passe par les sept noms.

Benedetti démarra en chuchotant des obscénités, puis il se mit à pleuvoir. Les essuie-glace raclaient le pare-brise avec des gémissements infrasoniques, étalant un dépôt de poussière grasse diluée à sa surface, qui n'avait pas recouvré sa pleine transparence lorsque la Mercedes vint se garer devant le siège de L'OPTIQUE, après avoir franchi la Seine par le pont de l'Alma.

Là se produisit à peu près la même scène que chez le docteur : Raymond Degas tenait son épouse dans ses bras, caressait ses joues roses de poudre, les racines blanches de sa blondeur. C'est elle, c'est bien elle, confirma-t-il, c'est combien ? Benedetti annonça encore l'arrivée de sa facture, puis fila sans s'attarder. De retour près de son automobile, il examina les environs d'un air méfiant, mais plus personne n'était là pour lui vanter l'axe du monde. La Mercedes longea le fleuve jusqu'au Châtelet, remonta le boulevard Sébastopol sous un ciel brun d'où tombait une pluie lourde et flasque.

– Monsieur Benedetti ? fit le plus petit des deux

hommes qui s'étaient levés lorsqu'il poussa la porte de l'agence. Officier de police Crémieux. Et voici l'officier de police Guilvinec.

– C'est à quel sujet ? voulut savoir Benedetti.

– Un de vos employés, dit Crémieux, nous n'en aurons pas pour longtemps.

Guilvinec et Crémieux sortirent vingt minutes plus tard du bureau de Benedetti, où Bock et Ripert s'engouffrèrent à leur tour. Le chef était assis, immobile, il ne salua leur entrée d'aucun mot ni d'aucun geste. Derrière ses moitiés de lunettes, ses yeux fixes dénotaient une profonde réflexion, du moins l'effort nécessaire à celle-ci. Les adjoints se posèrent et patientèrent parmi le vert émeraude des rideaux, du papier peint, des abat-jour fixés aux petites lampes de cuivre. Sur les murs latéraux deux gravures étaient suspendues, l'une représentait un paquebot et l'autre, en coupe, le même paquebot. On distinguait, dans de petits cadres posés sur le plateau de la cheminée, quelques photographies de maisons, de chevaux, un couple âgé, une femme avec un enfant. Ripert alluma une cigarette.

Benedetti demeurait immobile, en contemplation devant une haute pendulette posée devant lui sur le bureau, surplombant les papiers en désordre comme un phare domine un coup de chien, et dont les parois de verre laissaient voir la machinerie : une grosse roue dentée s'agitait vivement, actionnant une autre roue plus lente qui en entraînait une troisième à la course à peine perceptible, puis les engrenages suivants paraissaient immobiles. Benedetti semblait charmé par le spectacle du mécanisme. Une vague de cheveux jaunes et blancs venait mourir sur le sommet de son crâne, et un long poil cuivré fusait de l'une de ses narines comme un fil dénudé d'un cortex de robot. A voix basse, Bock demanda une cigarette à Ripert. Mais je croyais que tu ne fumais plus, chuchota Ripert en retour. Bon, laisse tomber, fit doucement Bock avec un geste. Leur échange furtif suffit à extraire Benedetti de sa méditation ; il tira d'un coffret d'érable un gros cigare dont il sectionna le bout à l'aide d'une petite pince dorée.

– Vous en voulez un, Bock ?

– Merci, dit Bock, je ne fume plus.

– Ah, je croyais, fit le chef d'une voix absente.

Il se redressa, s'éclaircit la gorge et mit le feu à l'autre bout du cigare, puis il exposa ce qu'il venait d'évoquer en compagnie des officiers de police, à savoir la disparition de Georges Chave et les liens de celui-ci avec le nommé Crocognan – dont l'évocation fit se contracter passagèrement la mâchoire de Ripert. Benedetti rappela ensuite les étonnants succès de Georges dans les affaires Spielvogel et Degas. Il voulut savoir ce qu'on en pensait. On se tut. On paraissait n'en penser rien. Benedetti considéra ses adjoints avec un hochement de tête et une torsion du coin de la bouche. Il insista. Il demanda si ces étonnants succès n'avaient pas, justement, quelque chose d'étonnant, hein, quelque chose de surprenant. A leur avis.

– Vous voulez dire qu'il aurait tout arrangé ? demanda Bock.

– Bravo, fit Benedetti.

– Et à quoi ça lui aurait servi ? demanda Ripert.

– C'est ça qui me chiffonne, dit Benedetti. Je ne sais pas.

– Je n'ai jamais aimé ce type, rappela Ripert. Je me suis toujours méfié de lui. Je l'ai toujours dit. On ne m'a pas écouté.

– Ça ne nous avance pas, remarqua Benedetti.

– Peut-être qu'il voulait inspirer confiance, avança Bock. Je ne sais pas, moi. Peut-être un flic, c'était.

– Mais non, dit Benedetti. Si les flics le cherchent comme ça avec hargne, c'est que ce n'est pas un flic.

– Avec qui ? demanda Ripert.

– Avec hargne, répéta le patron. Hargneusement. Je vous trouve idiot aujourd'hui, Ripert, poursuivit-il d'une voix rêveuse. Est-ce que c'est vous en ce moment, ou bien moi le reste du temps, qui.

– Ça va, ça va, l'interrompit Ripert en rentrant son long cou dans ses épaules.

– Reprenons, dit Benedetti. Qu'on lui fasse confiance, bon, d'accord, pourquoi ?

– Pour être tranquille sur une autre affaire ? proposa Bock.

– Quoi, fit Ripert, le dossier Ferro ?

Et Bock et lui sourirent de conserve.

– Nom de Dieu, proféra Benedetti.

Il se leva, contourna promptement son bureau vers la gravure figurant le paquebot en coupe, laquelle pivotait sur des gonds pour démasquer, serti dans le mur, un coffre-fort dont il manipula fiévreusement les molettes pour les amener sur vingt-six, quarante-neuf, zéro huit, onze deux fois, et de l'intérieur duquel il retira un dossier épais qu'il revint poser sur le bureau avec un soupir.

– C'est quoi, ça ? s'enquit Ripert.

– Le dossier Ferro, dit gravement Benedetti.

– Je n'avais jamais vu tous ces papiers, s'étonna Bock. Vous n'aviez pas parlé de ça quand on s'en occupait.

– Si vous aviez vraiment avancé dans cette histoire, vous en auriez entendu parler vous-mêmes, et puis vous me l'auriez dit. Ça n'a jamais été le moment.

– On ne pouvait pas avancer, dit Bock, vous savez bien. Personne ne peut.

– Oui, fit Benedetti, avec ce type je ne sais pas. On ne sait pas qui c'est, au fond, ce type. Tout ça ne vaut rien tant que personne ne se présente, mais (il n'acheva pas cette phrase). J'ai eu peur que (celle-là non plus). Bon, on va y jeter un coup d'œil.

Il défit la boucle du dossier, l'ouvrit, mais ce qu'il vit alors, au lieu des documents prévus, était une rame neuve de papier machine sur l'emballage intact de quoi s'étalait glorieusement la mention *extra-strong 64 g.,* et ce spectacle vierge le fit pâlir, gémir, faiblir, porter une main sur sa poitrine en tombant sur son fauteuil – mais il se reprit très vite et se mit à parler d'une voix basse, froide, neutre, comme ces voix synthétiques des machines à traduire, décryptant a fortiori un texte particulièrement calme, serein, détaché, un bref poème bucolique japonais par exemple.

– Ce type, Chave, articula-t-il, vous allez me le retrouver. Et puis vous allez me l'amener ici. Si ça fait des histoires, tant pis. N'ayez pas peur des histoires. Je m'arrangerai. Vous me l'amenez, voilà, vous me l'amenez. Suis-je assez clair.

On ne pouvait pas dire non. On se regarda, on se leva.

– Patron, fit Bock d'une voix douce, qu'est-ce que ça représente au juste, pour nous, le dossier Ferro ?

– Des millions, répondit le patron d'une voix blanche, des dizaines de vrais millions.

– Foutre, émit Ripert.

– Peut-être même plus, ajouta le patron tout en écrasant son cigare avec une inquiétante indifférence. Allez, maintenant.

Sonnerie du téléphone. Benedetti décroche. Il écoute

longuement, il dit oui. Déjà. C'est si rapide. J'essaierai. Merci, docteur. Oui, au revoir. Il raccroche. Il pose ses coudes sur la table, plonge son visage entre ses mains. Il relève la tête. Son visage n'est plus seulement blanc comme il y a un instant mais livide et creusé, sa peau est presque transparente. Elle est au plus mal, dit-il. Sa voix est presque inaudible. Allez, allez, dit-il, laissez-moi. Bock et Ripert se regardent avec gêne. Ils sont un peu au courant.

– Bon, dit Bock d'une voix encore plus douce, presque tendre. Bon, on va vous laisser, patron.

– Non, restez, restez, sanglote à présent le patron. Ne me laissez pas. Ne me laissez pas seul.

15

Un bruit extraordinaire régnait autour de Georges Chave.

Lorsqu'il put les rouvrir, ses yeux ne rencontrèrent aucun objet, ne furent frappés d'aucune lumière. Devant eux, l'obscurité immobile et parfaite offrait peu d'avantages par rapport à l'évanouissement. A l'opposé de ce qu'on raconte parfois, Georges à peine revenu à lui se rappela tout ce qui avait précédé sa perte de conscience, absolument tout jusqu'à l'avant-veille, en deçà de quoi les détails devenaient plus imprécis. A présent, il avait froid dans ce vacarme de moteurs ou de tuyères qui devait être celui d'un avion traversant un ciel serein, sans précipitation ni dépression, car aucun à-coup n'était sensible, aucune vibration excessive. Georges se demanda quelle terre ce ciel pouvait baigner, quelle mer éventuellement.

Il fouilla aussitôt ses poches, comme si c'était dans ce but qu'il venait de s'éveiller. Il y retrouva son briquet, un briquet semi-luxe que Véronique lui avait offert, avec un petit couvercle doré dont l'ouverture libérait indéfiniment le gaz. Il fit de la lumière, posa le briquet devant lui sur le sol.

C'était un réduit, une soute encombrée de caisses, probablement située à l'arrière de l'avion, et séparée de l'habitacle par une grosse porte aux angles arrondis que verrouillait un gros système à volant, comme sur les portes des sous-marins. Les caisses étaient toutes hermétiquement fermées, scellées par de petits rubans très fins, très coupants, en alliage de laiton. Les parois de la carlingue étaient en métal nu, d'un gris-bleu satiné sur lequel la flamme du briquet se réfléchissait en halo flou, la porte seule étant peinte en coquille d'œuf mat. Rien d'autre, sinon ces caisses. Georges renonça à tenter de les ouvrir. Il attendit, assis par terre, cette petite lueur de briquet devant lui, sans songer un instant à consulter sa montre.

Donc, au bout d'un laps indéterminé, la porte de la soute s'ouvrit, laissant couler sur le sol un rectangle net de lumière pâle. Georges leva les yeux, distingua dans l'embrasure trois silhouettes qui lui faisaient face : Baptiste et Barrymore encadraient un homme qu'il n'avait jamais vu, et qui souriait. Georges et ces trois personnes se contemplèrent un moment, dans un silence d'autant plus lourd que le grondement des moteurs l'emplissait entièrement.

L'inconnu pouvait avoir quelque quarante ans, malgré ses yeux de trop jeune taupe que grossissaient des verres épais, malgré des rides se croisant sur son front, autour de ses yeux, reliant profondément les coins de sa bouche aux ailes de son nez. A armes encore inégales, le blanc disputait au roux la majorité de ses cheveux courts parmi lesquels luttaient aussi nombre d'épis multidirectionnels, comme une herbe rase soumise aux vents continentaux. A première vue, son visage et tout son corps semblaient agités de tics incessants, et puis non : c'était l'arrangement presque dissymétrique de ses membres qui produisait cette impression – quoiqu'il eût aussi quelques tics réels, mais pas tant que ça. Il portait un pantalon blanc et une chemise hawaïenne à manches courtes imprimée de palmiers, de skieurs nautiques vert

106

pomme et jaune citron sur plans de topaze. Son sourire n'était pas arrogant mais plutôt résigné, et découvrait un chevauchement de dents mal implantées, battues d'épis à l'instar de sa chevelure, mal penchées en tous sens comme de vieilles pierres tombales.

Georges se leva, avança dans l'allée au milieu de quoi quatre fauteuils étaient disposés face à face. La porte refermée derrière lui étouffait un peu le bourdonnement. On s'assit. Barrymore désigna Georges.

– Georges Chave, annonça-t-il.

L'inconnu agita sa tête approbativement, précisant son sourire d'une nuance d'encouragement que multipliaient ses dioptries.

– Et voici monsieur Gibbs, dit Barrymore.

– Ferguson Gibbs, précisa l'inconnu d'une voix étranglée.

Il sourit plus largement, remonta ses lunettes sur son nez, considéra ses pieds, tira sur un pan de sa chemise et rougit violemment. Georges détourna son regard vers un hublot, au travers duquel on voyait la nuit noire ponctuée d'étoiles éparses, avec une condensation d'autres points lumineux plus bas. On survolait une ville, semblait-il.

– Où sommes-nous ? demanda Georges.

– Nous tournons, dit Ferguson Gibbs, c'est Paris. Nous tournons autour de Paris.

– Pourquoi ? s'inquiéta Georges.

– Pour rien, reconnut Gibbs. D'ailleurs on va se poser, maintenant.

Il n'avait presque pas d'accent, malgré ce nom. On se posa. Baptiste et Barrymore se levèrent. Leur allure s'était transformée, comme des soldats ou des garçons de café en rupture d'uniforme. Barrymore avait ramassé un journal sur un fauteuil, l'avait ouvert à la page des sports puis des spectacles ; par-dessus son épaule, Baptiste chercha des noms de personnes connues de lui dans la critique d'une reprise du *Château des cœurs*. Ferguson Gibbs s'était également déplié mais de travers, comme dans plusieurs directions à la fois, faisant onduler les feuillages des palmiers, slalomer les skieurs sur sa chemise, puis il tira de sa poche un portefeuille déformé, au cuir mal tanné, portant gravés d'un côté les mots *Souvenir de Boussaada*, avec sur l'autre face un chameau et encore un palmier. Il répartit une liasse entre Baptiste et Barrymore, qui déverrouillèrent la porte de l'avion puis disparurent. Gibbs se retourna vers Georges.

— Vous devez m'en vouloir.

— Un peu, dit Georges, je me serais passé du somnifère. Je n'en vois pas l'utilité.

— Je sais, je comprends, fit Gibbs en écartant les bras. C'était très désagréable ? Une idée de mon homme d'affaires.

— L'avion non plus, je ne comprends pas très bien. Ça doit vous coûter cher.

— C'est différent, dit Gibbs, j'aime beaucoup les avions. Et puis j'ai de l'argent, un peu d'argent, je vous en donnerai si vous voulez.

— Bon, dit Georges, c'est à vous de voir.

— Si, je vous en donnerai, je vous en donnerai, insista l'autre. J'ai un service à vous demander.

D'une veste en panne de velours argent jetée sur un dossier, il tira un petit flacon plat contenant du gin dont il emplit deux gobelets en plastique blanc ; il tendit l'un d'eux à Georges.

— Sortons, dit-il en posant son gobelet pour enfiler sa veste. On étouffe ici.

Une passerelle les rendit à la terre obscure et ferme,

près d'un projecteur dévolté qui balisait l'aéroclub. Ils remontèrent le terrain d'atterrissage, traversèrent un long hangar essaimé d'avions de tourisme garés en désordre sous des bâches spectrales, et dont le portail glissa doucement sur leur passage, se refermant après eux dans une pesante résonance de gong. Ils se mirent à marcher le long de la première route venue, leurs gobelets à la main. Pas facile de boire en marchant, dit Gibbs, vous aviez remarqué ?

De rares voitures les frôlaient, les aveuglaient d'iode en les forçant à se pousser dans le talus, et de longues constructions à loyer modéré se détachaient en dégradé dans la nuit froide, régulièrement trouée par les faisceaux orange des réverbères dans lesquels gravitaient des colonies browniennes d'insectes phototropes. On devait être vers La Courneuve ou bien vers Bagnolet, ou bien vers Levallois-Perret. Il y eut un panneau : on était du côté des Lilas.

Ils longèrent des entrepôts, des fabriques closes, des stations-service entrouvertes, des barres d'immeubles noirs pointillés de fenêtres d'insomniaques, des pavillons flanqués de jardinets où des molosses nerveux surveillaient les massifs, les salades, les puits construits en pneus lisses et les lutins de plâtre rouge fichés au bord des pelouses. Un moment, ils s'arrêtèrent, vidèrent leurs gobelets ; Gibbs expédia le sien derrière un buis, exaspérant un dobermann.

– Il n'y a plus rien à boire, remarqua Georges. Vous n'avez pas froid ?

– Il me semble me souvenir d'un bistrot, dit Gibbs. Par là, juste derrière.

Un bistrot se tenait en effet juste derrière, jouxtant le mouvement perpétuel d'une usine. C'était un long baraquement voûté en tôle ondulée dont la fonction limonadière était insoupçonnable de l'extérieur, surtout à cette heure-ci. Des rangées de tables y étaient disposées comme dans un réfectoire, nappées de toile cirée aux rayures pleines d'écailles. Aux murs, schémas à l'appui, des affiches commanditées par la Sécurité sociale recommandaient de ne pas se faire couper les doigts par les machines, arracher les cheveux par les machines, énucléer ou éventrer par les machines. Quelques transfuges des trois-huit sommeillaient ou s'entretenaient à mi-voix sur des chaises éparses, devant des verres vides, leurs coudes sur les miettes. Près de l'entrée, trois Portugais jouaient au nain jaune. Gibbs et Chave se mirent à une table isolée dans le fond, au-dessous d'une horloge publicitaire en forme de tasse, dans laquelle une grande et une petite cuiller disaient quatre heures quarante. Ils voulurent du gin mais il n'y en avait pas, on leur donna du calvados et du café.

– Je ne suis anglais que par mon père, déclara Gibbs. La famille du dentifrice, vous savez, des cousins, on ne les fréquente pas. Il est mort à ma naissance, juste le temps de dire que je devais m'appeler Ferguson, comme son père à lui, voyez-vous. Il m'a appelé comme ça et puis il est mort, répéta-t-il avec un geste d'évidence – il semblait exister à ses yeux un implacable rapport de cause à effet entre ces phénomènes –, et ma mère n'est morte que l'an dernier. Elle était mexicaine, ça ne se voit pas, hein ? Non, je n'ai pas le type. C'est que, voyez-vous.

– Je crois que je vois, dit Georges, pardon si je vous coupe. C'est qu'elle était en fait d'origine française, c'est ça ?

– C'est ça, reconnut l'homme roux.

– C'est pour ça que vous n'avez pas le type.

– Oui, fit l'autre avec une expression de soulagement.

– D'origine française, poursuivit Georges, par exemple d'une vieille famille française établie au Mexique depuis, disons depuis cent cinquante ans, arrêtez-moi si je me trompe.

– Je vous en prie, dit l'Anglais.

– Et vous vous êtes rendu compte que vous pouviez recueillir une fortune en vous faisant passer pour l'héritier d'une famille assez proche de la vôtre. Peut-être l'êtes-vous vraiment, d'ailleurs, vous ne savez pas au juste, je ne sais pas au juste. Vous n'avez aucun moyen de le prouver, de toute façon, mais personne ne peut non plus prouver le contraire. Qu'est-ce qu'on peut faire alors, on pourrait peut-être s'arranger avec les archives, en écarter, en retoucher, en découvrir. Il faudrait y avoir accès, vous voyez ce que je veux dire ?

– Très bien, dit Gibbs, je vous suis parfaitement.

– On cherche un type qui aurait accès aux archives, et me voilà.

– Vous voilà, confirma l'autre avec un sourire ravi.

– J'invente, hein, dit Georges, vous me dites quand ce n'est plus ça. Alors on propose au type de rendre un petit service, de lui donner des sous pour ça, c'est ça ? Beaucoup de sous ?

– C'est ça. Suffisamment.

– Je ne peux pas accepter.

– Ne vous encombrez pas de scrupules, exhorta Gibbs avec une grimace douloureuse, où est le mal dans tout cela ? Nous n'avons même pas parlé d'argent.

– Ce n'est pas ça, dit Georges, c'est qu'il n'y a pas d'archives. Il y en aurait, je ne dis pas.

– C'est impossible, affirma Gibbs.

Il regarda Georges fixement, plus démuni que jamais

111

de symétrie, et les couleurs vives de ses vêtements avec ses attributs mal disposés sur sa personne instable le firent ressembler un instant à un enfant caractériel, un dessin d'enfant caractériel. Il leva une main pour qu'on leur rapportât du calva, tout son corps s'envola à la poursuite désordonnée de cette main.

— Réfléchissons, dit-il ensuite.

Bientôt, par les fenêtres, on voyait la nuit se défaire, s'effacer insensiblement sous une lumière d'ardoise et de craie, comme de quoi écrire les événements du jour qui venait.

— Voici ce que nous allons faire, dit l'Anglais.

16

C'était une femme de quarante-six ans qui descendait le boulevard Magenta par le trottoir de droite, dans une robe en lainage et un petit manteau brun, vers onze heures du matin. Elle longeait les devantures devant lesquelles elle s'arrêtait parfois, et au mouvement incessant de ses lèvres on pouvait croire qu'elle lisait pour elle-même les slogans, les prix, mais quiconque l'eût frôlée l'eût entendue se répéter à mi-voix la recette des spaghetti carbonara.

Elle s'appelait Liliane Bock, et son mari l'avait connue dans le Massif central. Puis ils avaient quitté la montagne pour la grande ville. Capacitaire en droit, Bock avait accompli quelques périodes d'essai dans des études d'avoués, des agences immobilières, des sociétés de conseil juridique avant de trouver son emploi le plus stable au cabinet de Benedetti. Cependant, Liliane et lui connurent divers logements décourageants avant de s'établir cité du Wauxhall, tout près de la République. Elle était presque rendue chez elle, maintenant. C'était embouteillé pour cause de gros travaux de voirie à hauteur de la halle Saint-Quentin, et la circulation coagulée des véhicules rabattait une pluie de gaz sur les trottoirs.

Cité du Wauxhall, au numéro 20, Liliane gravit les soixante marches qui séparaient de l'écorce terrestre les trois pièces qu'elle partageait avec Bock. Celui-ci était penché vers une valise ouverte posée sur le lit conjugal, emplie de sous-vêtements et vêtements bouchonnés, avec une trousse de toilette toute fendillée dans les coins et un livre de poche neuf consacré au triangle des Bermudes.

– Je vais faire des pâtes, annonça Liliane. Tu t'en vas ?

– Il me semble que j'oublie quelque chose, dit Bock. Je ne sais pas quoi.

– Tu mangeras bien quelques pâtes. Christian passe te prendre ?

– Oui, dit Bock. Je me demande ce que j'oublie.

– Ta chemise grise.

– Oui, fit-il. Non. Elle est au sale.

– L'autre grise, alors.

– C'est ça, l'autre grise.

– Je vais te la prendre, dit Liliane. Et puis tes médicaments.

Elle sortit de la chambre. Bock marcha vers sa collection. La collection reposait sur une grande planche soutenue par deux tréteaux. Elle reconstituait, miniaturisées, la bataille de Rivoli (1797, à gauche) et celle du Pas de Suse (1629, à droite) – soit deux fois deux armées affrontées, tous corps représentés avec tous leurs détails, pas un bouton de quoi que ce soit ne manquait. Sans parler des accessoires, il y avait bien là quatre cents soldats de plomb, disposés dans telle ou telle phase du combat. Bock modifiait de temps en temps les positions des adversaires, suivant généralement l'ordre historique préconisé par les stratèges, mais donnait aussi quelquefois son avis sur un détail de la manœuvre, tentant des coups comme aux échecs. Il souleva les froissements de kraft représentant les monts Genèvre et Cenis, entre lesquels se faufile le Pas de Suse, retira un petit étui en peau de chamois qui se

114

trouvait là, reposa les montagnes à leur place. L'étui contenait un pistolet à répétition automatique de calibre 7,65 à neuf coups, modèle « Le Français », fabriqué en 1964 par les établissements Manufrance. Puis, de l'autre côté, Bock déplaça la feuille d'aluminium tordue qui figurait l'Adige, sur quoi se trouve la ville de Rivoli et sous quoi reposaient deux chargeurs. Il enfouit ce matériel au fond de sa valise juste comme Liliane rentrait dans la chambre, écrasant entre deux doigts un faux pli sur le col de la chemise.

– Tu ne vois pas ce que je peux oublier ? demanda Bock.

– N'y pense pas, dit Liliane. Assieds-toi, repose-toi, reste tranquille. J'ai mis l'eau à chauffer. Il n'y a plus qu'à attendre Christian ; il prendra peut-être quelque chose avec nous, s'il veut. Vous n'allez pas vous mettre propres comme la dernière fois ?

– Non, répondit Bock, pas de danger, aucun danger.

Mais Ripert serait en retard, s'attardant en compagnie d'un certain Roger Briffaut qui lui avait fixé un rendez-vous impromptu dans un magasin de disques sur les Champs-Elysées. Roger Briffaut avait précocement embrassé l'état d'informateur de police, accordant à l'occasion ses faveurs à des relations plus ou moins liées à ce métier telles que Christian Ripert. C'était un jeune homme au visage mécontent et au corps ramassé, une raie luisante sur le côté et presque pas de cou, juste assez de place pour une cravate à damiers noirs et blancs très serrée.

Lorsque Ripert était entré dans le magasin, Roger Briffaut avait émis un long sifflet placide sur une seule note, puis il s'était constitué une pile de quinze disques qu'il avait tendue à Ripert sans un mot. Ripert avait porté la pile jusqu'à la caisse, avait payé la pile, l'avait rendue à Briffaut, qui déclara aussitôt qu'il avait entendu parler du nommé Chave, lequel paraissait s'accointer à un nommé Gibbs, lequel lorgnait vers une histoire classique d'héritage dont l'indicateur prétendait ne rien savoir au juste, sauf qu'il pourrait se tramer quelque chose dans les Alpes du sud. Ah, bien, très bien, dit Ripert, merci, à la prochaine. Briffaut répondit à cela par un crachotement entre ses dents, puis raffermit les disques sous son bras.

Il n'y avait plus que seize pâtes froides collées au fond d'un récipient de pyrex lorsque Ripert sonna chez les Bock. Vite, fit-il, on y va, le dossier Ferro, je t'expliquerai en route. Vingt minutes plus tard, ils sortaient de Paris par la porte d'Orléans, menant à vive allure une GS jaune canari vers les Alpes du sud.

La GS se maintint à une vitesse honorable jusqu'au Morvan, où il y a des côtes, au fil desquelles elle se mit à ralentir anormalement ; puis elle n'allait même plus vite dans les descentes, puis elle ne dépassa plus le soixante-cinq en terrain plat.

— Mais qu'est-ce qu'elle a, fit Ripert. On dirait qu'elle est bridée.

Ils parcoururent encore une cinquantaine de kilomètres ainsi ; tout le monde les dépassait, Ripert n'en pouvait plus.

— On rentre, décida Bock, ça ne sert à rien de continuer comme ça. De toute façon, avec le retard qu'on a pris.

A l'échangeur de Mâcon, ils firent donc demi-tour et repartirent vers Paris à leur allure de rodage. On ne va pas s'emmerder, dit Ripert, avec le temps que ça va prendre. On va s'arrêter partout, les restaurants, tout. On va visiter Vézelay, tu as déjà vu Vézelay ? Ça ne te dit rien ?

116

– Pense à ce qu'il a dit l'autre jour.

– Quoi ? Qui ?

– Benedetti. Les notes de frais. On va d'abord l'appeler. Arrête-toi à la première station, là, au premier restaurant, restauroute, je ne sais pas comment on dit.

Ripert avait maugréé, s'était tu, Bock aussi, et ils remontèrent vers le nord, tenant une moyenne de Solex gonflé tout en songeant au destin, à leur destin, à celui de Georges Chave, estimant que ce dernier avait sans doute présentement rejoint la maison de Marguerite-Elie.

Se trompant en cela car cinq heures auparavant Georges Chave et Ferguson Gibbs se trouvaient encore à Ivry-sur-Seine – mais dans les franges d'Ivry, loin de la maison de Fernand. A l'angle d'une rue s'embranchait une allée sur laquelle se greffait une impasse, au fond de quoi un portail ouvert découvrait un grand atelier sombre. Un charnier de conduites intérieures s'entassait dans un coin, près duquel une Panhard et une Saab à l'état d'épaves paraissaient en transit, en sursis, sujettes à réflexion. Un jour synthétique tombait des feuilles ondulées translucides amalgamées dans l'Everite du toit. A gauche un élévateur neuf, aux couleurs encore gaies, à droite un réduit isolé par des bâches de plastique épais maculées de peinture. Entre les deux courait un établi bardé d'étaux, d'outils, de tout ou partie de moteurs, de caissons gras contenant des pièces, de bidons bouchés par des chiffons noirs, de panoplies de clefs fixées au mur par ordre décroissant comme des saxophones parmi plusieurs calendriers de l'année en cours, qu'illustraient des photographies de femmes déshabillées dans des voitures décapotées. Au centre de l'établi, des touffes rétives de poil roux surmontaient un dos large tendu d'une combinaison bleu roi, avec un bras court et trapu

117

frappant violemment sur un objet, à coups de marteau qui résonnaient méchamment dans l'atelier.

Georges toussa entre deux coups, Pellegrin se retourna. Il desserra promptement l'étau devant lui, en dégagea l'objet martyr qu'il se fourra dans la bouche en poussant avec force, consolidant l'assise du dentier bricolé d'un mouvement brusque, en secouant un peu, comme il eût vérifié la tenue d'un cardan.

Il s'approcha d'eux, hochant la tête d'un air méfiant. Georges n'avait jamais pu s'assurer vraiment de ce que Pellegrin le reconnaissait de l'une à l'autre de ses visites, espacées mais régulières. L'homme s'exprimait avec une familiarité farouche qui autorisait sur ce point toutes les hypothèses.

– Vous vous souvenez de moi ? voulut encore savoir Georges.

L'homme en bleu hocha de nouveau – cela pouvait signifier oui aussi bien que non aussi bien que bref, la question n'est pas là ; au fait – tout en expédiant vers la rousseur de Gibbs un regard fruste, rival et solidaire.

– La Volkswagen, rappela Georges. La bleue.

A l'évocation de ce véhicule, le garagiste ferma les yeux avec une expression douloureuse et commisérée, se tournant à demi comme s'il allait partir.

– Bon, ça ne fait rien, dit Georges. Vous n'auriez pas autre chose par hasard, quelque chose ?

Pellegrin hocha encore – chaque fois différemment et les fit contourner l'atelier, au dos duquel étaient garés un Ford Transit bleu ciel à l'état d'usage, une Fiat 600 mal repeinte en gris et une 204 oxydée immatriculée en Corse.

– Celle-là, dit Georges.

Pellegrin dit un prix – ils entendirent sa voix –, Gibbs

paya. Quinze minutes plus tard, ils allaient franchir à leur tour la porte d'Orléans, où ils firent une pause pour le plein. Gibbs sortit surveiller l'opération. Le pompiste était un homme jovial. Il émanait de tout son être une courageuse jovialité.

— La Corse, s'exclama-t-il au vu de la plaque, et vous qui êtes là. Sous ce temps pourri. Alors que la Corse vous avez le soleil, le bon soleil, le soleil chaud, la bonne chaleur du soleil.

— Oui, dit Gibbs, vous avez raison.

— Vous avez le soleil, vous avez, je ne sais pas.

— C'est vrai, c'est vrai.

— C'est le travail, supposa le pompiste à voix plus basse, sur un autre ton et sans paraître sensible au faible mais réel accent anglais de l'Anglais, c'est le travail qui manque là-bas, hein ?

— En effet, reconnut Gibbs, il y a cette question du travail.

— Notez, fit observer le pompiste, c'est tout le problème des îles en général. Ce qui nous fait cent soixante-cinq francs vingt.

Quinze nouvelles minutes plus tard, après avoir frayé parmi les sens uniques congestionnés, suivi un tronçon périphérique où cela roulait comme d'habitude à cette heure-ci et passé trente kilomètres de zone suburbaine, lieu d'échange nerveux entre la ville et la province, l'autoroute du Sud fut enfin vide, presque vide, ils respirèrent plus librement.

— Dommage qu'on n'ait pas pu prendre la mienne, dit Gibbs, elle va plus vite. Mais ce joint de culasse. Et vous, qu'est-ce que c'est ?

— Un grincement, dit Georges.

— Un grincement, ça ne peut pas être bien grave, se risqua Gibbs.

119

– Et ces gens, changea de sujet Georges, Baptiste, tout ça, c'était qui ?

Il n'osa pas prononcer le nom de Jenny Weltman.

– Des comédiens, je crois. Ces gens ont besoin d'argent, vous savez, je ne les connais pas personnellement. Dites, cette maison, vous pensez vraiment que ça vaut la peine d'y aller, vous aussi ?

L'autoroute demeura presque déserte. De loin en loin, à peu près tous les cent kilomètres, on avait disposé des manches à air à larges rayures blanches et rouges qui donnaient la mesure du vent faible en se balançant mollement le long de leur mât comme des trompes. Vers Tournus, des pictogrammes annoncèrent un restaurant d'autoroute qui enjambait le trafic en arc de triomphe schématique, anguleux, vitré, se profilant au fond d'une perspective de voies séparées par des garde-fous métalliques, semblables aux rubans parallèles d'une Fermeture Éclair. Georges et Gibbs convinrent de s'y arrêter : la 204 dévia, vint se ranger sur un parking jonché de petits débris, de contenus de cendriers, coquilles d'oranges et peaux d'œufs, boîtes métalliques écrasées, réduites à l'état de crêpes difformes sur lesquelles se chevauchaient des noms de boissons concurrentes à peine déchiffrables.

C'était une fin d'après-midi. Autour d'eux, par-delà les barrières délimitant le no man's land autoroutier, la campagne se laissait doucement écraser par un ciel strié de filaments de nuages fins, laiteux, linéaires, presque translucides comme de la salive ou de l'albumine, diffractant des tons rose-orangé dans cette grande clarté calme, bleu pâle proche de l'obscur, où s'effaçaient des traces de réacteurs qui se confondaient par mimétisme avec les nuages. Au loin, sur la déclivité placide d'un

120

champ strié de sillons à la plume, un tracteur avançait imperceptiblement.

Le moteur coupé, son bourdonnement restait dans les oreilles, comme leurs reins gardèrent un moment le pli des sièges. Trois marches en béton incrusté de gravier menaient à une double porte vitrée, puis un escalier mécanique étroit les haussa vers un long couloir donnant d'un côté sur le trafic, décoré de l'autre par des photographies de monuments et paysages locaux, avec de petites vitrines à l'abri desquelles rancissaient des produits du cru. Au milieu du couloir, qui se prolongeait jusqu'à rejoindre l'autre rive de l'autoroute, s'ouvrait un passage vers la salle de restaurant où un garçon de physionomie rurale, flottant dans une veste en nylon lie-de-vin, leur servit des carrés de viande dure flottant dans une sauce aqueuse en compagnie de légumes indifférenciés. Ils y touchèrent à peine, ils mangèrent beaucoup de pain, avec de la moutarde dessus, puis ils demandèrent du café avec du gin, puis un autre café, puis un dernier gin, puis Bock sortit de la cabine téléphonique et les vit qui étaient là.

Eux ne l'avaient pas aperçu. Distinguant des tasses de café sur leur table, Bock renonça à prendre le risque d'aller prévenir Ripert qui l'attendait dans la GS garée sur le parking adverse, craignant que Chave et Gibbs s'éclipsent pendant ce temps. Il quitta discrètement la salle, alla se poster à l'entrée du couloir opposée à celle qu'il avait empruntée en arrivant. Une main fermée dans sa poche sur la crosse de son pistolet, il patienta près du sommet de l'escalator qui se déroulait à vide.

Il n'attendit pas longtemps : Georges Chave et l'homme roux sortirent presque aussitôt après lui du restaurant, chassant des miettes sur leurs vêtements. Ils ne levèrent les yeux sur la silhouette de Bock qu'à une dizaine de mètres d'elle, juste comme elle leur criait trois mots brefs d'une voix blanche, une main droite dans une poche trop gonflée, un visage tendu, un regard gêné. Georges empoigna Gibbs par la manche et se retourna, le traînant après lui comme une poupée désarticulée ; ils se mirent à courir le long du couloir vitré, par-dessus les voitures et les camions se croisant, se doublant nerveusement à leurs pieds. Bock s'élança après eux, gêné dans sa course par sa main dans sa poche, toujours fermée sur l'arme qu'il n'osait pas faire apparaître.

Dans leur hâte, Georges et Ferguson prirent à rebours l'escalier roulant symétrique à l'autre, durent dévaler les marches quatre fois plus vite qu'elles ne montaient. Bock voulut absurdement les suivre par cette voie, glissa sur une marche, se rattrapa à la rampe, dut se laisser ramener au palier pour se ruer dans l'escalier fixe, perdit du temps. Il ne surgit sur le parking que pour apercevoir, trop loin, Chave et le roux qui ouvraient à la hâte les portières de la GS, dans laquelle Ripert fumait jusque-là paisiblement en consultant une carte routière dépliée sur ses genoux. Bock vit Georges extraire brutalement Ripert de la voiture, Ripert tomber avec une brève plainte effrayée sur le sol peint du parking, sa carte enroulée sur lui, sa nuque portant sèchement sur une butée de ciment. Bien qu'il cessât de remuer, Bock vit l'Anglais contourner quand même la voiture pour lui administrer deux ou trois coups de pied furtifs, puis la carte routière prit une sorte d'envol à plat ventre sous le vent faible, rampant sur le sol par plissements spasmodiques comme un lombric géant traité au maxiton, au rythme machinique, glacé, du sprint posthume d'un canard décapité. Georges s'était engouffré au volant, suivi du rousseau qui se jetait à l'arrière de la voiture jaune, laquelle fonçait maintenant dans la direction de Bock qui se jeta gauchement sur le côté, trébucha encore, tomba à la renverse juste au moment où l'Anglais claquait sa portière ; Bock crut à un coup de feu, se vit mourir, chercha la douleur dans son corps.

Les agents de contentieux parurent inanimés un peu moins d'une minute, à une centaine de mètres l'un de l'autre, alors que le bruit de leur voiture diminuait sur la bretelle de raccordement avant de se fondre dans le background homogène de l'autoroute. Bock revint à lui le premier. Il se leva, s'approcha de Ripert complètement étale sur le goudron barré de blanc, entre une Range Rover amande et un Magirus tête-de-nègre. Bock secoua puis gifla l'assommé sans méthode.

— Qu'est-ce qui s'est passé, qu'est-ce qui s'est passé ? haleta Ripert en se redressant aussitôt comme si Bock venait de l'extraire d'un cauchemar.

— Du calme, dit Bock, je t'expliquerai. Il va falloir trouver une autre voiture, maintenant. Attends-moi là, je vais rappeler au bureau.

— Pourquoi on a fait ça, pourquoi on a fait ça ? interrogeait Gibbs quant à lui, escaladant le dossier du siège non sans complications motrices pour venir s'asseoir à l'avant près de Georges Chave.

Georges s'abrita du mieux qu'il put des genoux et des coudes acérés de l'homme roux. L'autoroute était de nouveau plane sous leurs yeux, des champs en friche fumaient de part et d'autre ; au-dessus d'eux un avion tirait son trait, barrant de blanc le ciel exsangue.

— Pourquoi on a fait ça ? réitéra Gibbs en s'installant, enroulant plusieurs fois une de ses jambes autour de l'autre.

Georges ne répondit pas.

– Tiens, des vaches, dit Gibbs en montrant quelque chose sur sa droite. Vous avez vu les vaches ?

– Qu'est-ce qu'elle a, cette voiture, fit Georges, elle ne tire pas. On dirait qu'elle ne tire pas.

– Ça risque de nous faire des ennuis, tout ça, remarqua l'Anglais. La police et tout. Je me souviens qu'il y avait des vaches quand j'étais petit, poursuivit-il sur le même ton, près de la maison où j'allais en vacances. J'aimais bien ces vaches. Bel animal, la vache.

Huit heures plus tard, nuit noire, ils abandonnaient la GS avenue de la Sœur-Rosalie, dans le treizième arrondissement. Puis il fallut discuter un moment de leur prochaine rencontre : mieux valait d'abord voir venir, peut-être, attendre que les choses se tassent un peu. Pour se retrouver, Georges proposa un vieux système, une idée qu'il avait repérée dans des romans. Gibbs aima cette idée, donna de l'argent à Georges. Ils se séparèrent au métro Nationale. De là, Georges marcha jusqu'au premier hôtel possible, où il prit une chambre et dormit d'un trait jusqu'au lendemain matin.

17

Comme il s'endormait, la soupape d'une cocotte-minute se déplaça légèrement dans la cuisine du troisième gauche au 118 rue Amelot, à six stations de métro de là, puis la base de la soupape se mit à baver, crachota, expulsa de petits jets d'eau bouillante bientôt suivis d'une farouche exhalaison de vapeur, et la soupape commença de tourner sur elle-même, lentement puis très vite furieusement.

– Tu comptes douze minutes et tu éteins, dit l'homme. Non, dix, c'est plus simple. Ça ne fait rien si c'est un peu ferme. Tu comptes dix minutes, tu entends, et tu fermes bien le gaz, là. Quand la grande aiguille arrive là.

La petite fille remua la tête de haut en bas. Elle ne redoutait pas cet homme gros et chauve. Elle le voyait souvent devant l'immeuble, dans son vaste costume gris, avec de longues bretelles fines en parenthèses d'une cravate verte avec un dragon rouge dessus. Elle ne l'avait jamais vu jusqu'à ce soir dans cette panoplie d'infirmier. Quoique ça ne lui allait pas si mal, jugea la petite fille, en tout cas mieux qu'aux autres à côté. Peut-être cela tenait-il à ce que le gros homme était masseur-kinésithérapeute de son état. Un masseur sans clientèle, mais dont l'épouse avait monté au rez-de-chaussée de l'immeuble un prospère atelier de confection autour duquel perpétuellement vaquaient des colonies de couturières déterminées. Boycotté par les foulures et les cellulites du quartier, le masseur se tenait donc toujours devant chez lui, veillant aux employées de sa femme, se mirant dans le cuivre de sa plaque boulonnée près de la porte pour serrer ou centrer son nœud vert, à l'affût des avatars du voisinage, toujours prêt à donner un coup de main pour régler le trafic, la rue étant souvent embouteillée le matin. Il était parfois gentil, bavard, entreprenant et puis parfois fermé, absent, comme s'il n'aimait ni ne connaissait plus personne. Aujourd'hui, il était gentil. Ses chaussures noires ventrues luisaient au bas de la longue blouse blanche comme des ailes de Pontiac.

Il tourna le dos, marcha vers la porte. Le long de sa colonne vertébrale, un rang de boutons peinait à circonvenir sa masse, égrenant une longue guirlande de nouvelles parenthèses, petites et plissées. Il ouvrit la porte, de l'autre côté de laquelle montait une rumeur scandée, une sorte de plainte ou de prière plaintive rythmée régulièrement, ahanée comme un moteur de galère. Il se ravisa, repoussa la porte, leva un doigt en se retournant, répéta : dix. La petite fille fit encore oui avec la tête et le masseur sortit. La petite fille se nommait Muriel Posadas, elle avait huit ans et demi. Comme on n'avait pas trouvé de blouse blanche à sa taille, celle qu'elle portait était pincée un peu partout dans le dos, avec un ourlet à mi-cheville maintenu par des épingles de nourrice, et en bas à droite une grande tache jaune en forme d'Afrique dont l'eau de Javel n'avait pas raison. Il était tard pour cette petite fille, mais elle savait qu'on la laisserait dormir le lendemain matin ; pas d'école.

Dix minutes plus tard, Muriel Posadas éteignit le gaz puis frappa contre la porte, quatre coups et encore quatre coups comme l'avait préconisé le masseur. Celui-ci surgit aussitôt. Il luisait, son visage était rouge, son souffle était court et sonore, sa blouse froissée s'auréolait. Il avait l'air moins gentil. Muriel Posadas eut un peu peur. Le gros homme fonça sur la cocotte, dévissa promptement la molette et se brûla en ôtant le couvercle alors qu'une brume épaisse s'échappait du récipient pour embuer la fenêtre d'une odeur fade, neutre. Il tira de l'autocuiseur un tas de légumes blancs qu'il vida sur un linge, au fond d'un plat à larges oreilles d'inox.

— Assieds-toi, ordonna-t-il.

Le masseur arrangea les légumes en pyramide. On aurait dit des morceaux d'asperge, des tronçons de quatre centimètres coupés du mauvais côté de l'asperge. Il les recouvrit d'un second linge.

— Reste là, dit-il, non, viens. Non, reste là, reste là, attends-moi là.

Muriel Posadas se rassit. L'homme sortit en tenant son plat des deux mains. De son pied droit, il repoussa doucement la porte dont le petit claquement sonna dans la grande salle à présent silencieuse comme un gravier au fond d'un puits.

Les fidèles étaient debout, disposés en carré aux coins duquel se tenaient quatre hommes au crâne rasé et aux joues glabres levant dans leur main une sphère métallique cuivrée, comme une boule de pétanque ou d'escalier, dans une position évoquant celle du lanceur de poids. Tous les assistants étaient vêtus de la même blouse blanche serrée au cou et aux poignets, parfois agrémentée d'un galon, d'un cordon. Leurs yeux étaient un peu écarquillés mais pas réellement stuporeux. N'était leur rigidité, on aurait pu se croire dans un vrai congrès de kinésithérapeutes. Les murs de la salle étaient tendus d'une étoffe verdâtre un peu luisante qui évoquait une atmosphère de piscine vide et malpropre, au sous-sol d'un grand hôtel tropical déchu. A l'emplacement du lustre pendait une grosse boule, comme dans les bals, constellée de petits miroirs dorés où se reflétaient entre autres les crânes des quatre hommes d'angle. Au fond de la salle était un harmonium.

Il y avait presque autant d'hommes que de femmes, différentes tranches d'âge étaient représentées, diverses catégories socio-professionnelles qu'on devinait sous l'uniforme à des détails de silhouette ou de visage, aux expressions de ces visages, au soin qu'on prenait d'eux. Un sondeur d'opinion eût avisé là un filon. Tous semblaient un peu blancs de peau, les femmes particulièrement. Ils étaient debout face à un rideau blanc, sans doute dans l'attente de quelque chose. Son plat tenu à bout de bras, le masseur longea un mur jusqu'à se faufiler derrière le rideau.

Là se tenait, assis sur une chaise, au chevet d'un lit qu'occupait un corps immobile couvert d'un drap, un homme vêtu d'un costume blanc à brandebourgs dorés et d'une culotte de cheval immaculée avec des bottes de daim crayeux, comme une sorte de dompteur austro-hongrois. Son visage était couvert d'un masque en carton blanc impersonnel. Il portait sur la tête une chéchia crémeuse où s'agrafait une cocarde multicolore représentant une roue à six rayons, et une petite boule jaune pendait au bout d'une chaîne à son cou.

— Allons-y, ça traîne, dit une voix sous le masque. Posez ça là, mettez-vous là.

Le masseur se figea de l'autre côté du lit, la nuque penchée, les doigts croisés sur son bas-ventre.

— Allons-y, répéta la voix.

Rajustant son couvre-chef, l'homme tira le cordon du rideau qui le séparait des assistants, et dont les anneaux grincèrent sur une tringle tavelée de rouille. A la vue de l'homme masqué, un mouvement d'eau qui va bouillir parcourut les fidèles, comme s'ils voulaient se lever vivement avant de se rendre compte qu'ils étaient déjà debout.

– Rayon majeur, invoqua sérieusement le masque. Rayon central, rayon axial, septième rayon. Passe le soleil vers nous.

– Passe le soleil vers nous, répétèrent farouchement les dévots.

– Frères et sœurs, fit le masque dans le brouhaha qui s'ensuivit.

– Loués soient les sept noms, s'écriait une voix grêle et aigre au fond de la salle.

– Loués soient-ils, concéda le masque. Ils pompent comme sept cœurs le ruisseau d'harmonie. Frères et sœurs, je vous prie.

La rumeur se défit, le masque croisa ses bras sur sa poitrine.

– Vous connaissez mon nom, prononça-t-il, je suis Dascalopoulos. Mais vous ne verrez plus mon visage. J'ai fait vœu de voiler mon apparence au siècle pour mieux consacrer mon cœur au rayon. Je me soustrais par pénitence à sa lumière. Chacun de nous, cherchons la voie d'une pénitence.

Un silence de fer régnait à présent dans la salle.

– Que tout soit clair, poursuivit le masque. De même que les directions de l'espace ne font que développer les possibilités contenues dans le point primordial, de même toute forme, toute apparence n'est que le produit d'une différenciation du rayon majeur. Je vous le rappelle. Songez-y plus souvent. Procédons à la collecte.

A ces mots, le masseur saisit derrière le lit un seau en matière plastique blanche et se mit à circuler parmi les assistants, dans le bruissement d'ailes des banknotes et la sonnaille du fretin. Une femme déposa trois alliances dans le seau, une autre une grosse pierre de lune taillée, un homme voulut y jeter une boîte de crabe en conserve mais le masseur écarta doucement son bras.

— O rayon septième, ô rayon du repos, psalmodiait cependant le masque.

— Oreillons, oreillons, ânonnaient les zélotes.

— On se détend, proposa le masque une fois le butin constitué, on se laisse aller. On pense bien au rayon. (Gloire à toi, rayon axial, marmonna-t-il rapidement, passe le soleil vers moi.) On ne pense qu'à lui, on n'exprime rien, on se tait. (L'homme à la boîte de crabe gémit dans le fond.) On se tait, répéta le masque.

Le masseur avait repris sa place, ses yeux roulaient convulsivement sous ses paupières fermées, sa tête avait versé, l'encorbellement de ses mentons désignait le ciel. La transe, probablement.

— Gloire à toi, gloire à toi, marmottait de nouveau l'homme masqué.

Il ôta sa chéchia et présenta la cocarde y fixée au public. C'était une petite couronne métallique sur le tour de laquelle, à intervalles réguliers, étaient incrustées six pierres précieuses ou semi correspondant aux six couleurs : ambre, rubis, saphir pour les fondamentales, émeraude, améthyste et topaze quant aux complémentaires. Des fils d'acier reliaient les pierres au centre de la roue où se trouvait fixée une petite ampoule, invisiblement reliée à une batterie minuscule collée à l'intérieur du couvre-chef.

— Frères et sœurs, fit le masque, recevez le rayon.

Il dirigea sa cocarde vers la grosse boule réfléchissante qui pendait au plafond, pressa un ressort, et un faisceau très fin surgit de l'ampoule vers la sphère pour se réfracter sur l'un après l'autre des dévots qui montraient alors les signes d'un recueillement extrême, des mimiques de dormeurs obstinés.

– Infrarouge, balbutiaient-ils, ultraviolet lointain.

– Qu'il paraisse, beugla soudain le masque. Qu'il se lève au zénith et se couche au nadir.

– Qu'il paraisse, qu'il paraisse, souhaitèrent les dévots unanimes.

Le masque se fraya un chemin parmi eux vers l'harmonium. Des mains touchèrent son vêtement sur son passage. Il s'assit devant le clavier.

– Que naisse notre Belle-sœur, s'exclama-t-il. Répétons les sept noms, Baxter, Deshnoke, Abercrombie, Severinsen.

– Baxter, Deshnoke, Abercrombie, Severinsen, reprit le chœur.

L'officiant besognait l'harmonium. Sur le lit au chevet duquel transitait toujours le masseur, la forme allongée remua sous le drap. Deux bras nus le rabattirent, une jeune femme apparut, ceinte d'un seul voile blanc. Elle se leva, tendit ses bras devant elle et laissa glisser ce vêtement sur le sol en entonnant un long hululement au son duquel les zélotes se prosternèrent.

– Crabol, Martini, Dascalopoulos, compléta le masque en repoussant du coude quelques touches sur le registre de l'instrument.

Les fidèles reproduisirent dans l'ordre les patronymes consacrés, cependant que criait la jeune femme et couinait l'harmonium. La voix du masque s'éleva d'un cran dans le tumulte.

– Belle-sœur, Belle-sœur rayonnique. Porte une parole vers nous, ouvre nos yeux, parle. Montre-nous les choses.

– Montre-nous les choses, vociféra l'assistance enchantée par cette idée.

La jeune femme nue porta sur le masque un regard inquiet, puis elle ouvrit la bouche sans qu'aucun son ne parût. Elle considéra les dévots. Braqués sur elle, leurs yeux luisaient.

– Grand rayon, bredouilla-t-elle, passe-le. Passe-la. Passe.

– Passe le soleil vers nous, cria furieusement le masque en assenant sur le clavier un violent accord parfait majeur.

– Passe le soleil vers nous, répéta la Belle-sœur.

– Axe du monde, hurla-t-il.

– Axe du monde, fit-elle en écho.

– Louée sois-tu, Belle-sœur, trépigna le masque en agitant vers elle une main gauche impérative, la droite produisant maintenant une petite mélodie aigre et allègre. Louée sois-tu, Belle-sœur solaire, baigne ton corps au ruisseau d'harmonie.

– Baigne-le, baigne-le, conseillèrent plaintivement les adeptes.

La jeune femme reprit son voile sur le sol, s'en enveloppa, retourna s'étendre et rabattit le drap sur elle, Le masseur suffoquait. Le masque plaqua encore quelques accords, regagna sa place d'officiant, prit le plat de légumes blancs pour le déposer au milieu de l'assistance après y avoir goûté. Les fidèles se répartirent la nourriture avec contentement, l'absorbèrent avec appétit, puis l'homme masqué fit un bref discours conclusif.

– Je ne fais que passer, leur dit-il, je ne suis que l'antépénultième. Après moi sera un autre puis un autre qui verra l'assomption du rayon jubilatoire. Ce temps est proche, je le dis. Le huitième nom vient vers nous. Nous le rejoindrons bientôt dans les sommets, plus près des neiges perpétuelles, plus au cœur du rayon axial. Allez, à présent. Faites fleurir cet instant.

On se dispersa, on disparut en ordre. Le masseur sortit de son crépuscule pour aller délivrer la petite fille endormie, puis s'en fut à son tour. La jeune femme se débarrassait de son drap avec un grognement, se levait en s'étirant. Le masque ôta son masque. C'était Fred.

– Mais quelle bande d'abrutis, exprima la Belle-sœur en commençant à se rhabiller.

– Ecoute un peu, Jacqueline, dit Fred. Tu pourrais peut-être faire un petit effort, quand même.

– Quoi, fit la jeune femme. Quel effort.

– Les formules, retiens au moins quelques formules, enfin. Qu'ils t'entendent dire quelque chose. Apprends-les, ces putains de formules.

La jeune femme se mit à rire, Fred protesta, elle rit encore, il agita son doigt, le ton montait entre eux. Bon, fit-il, tu ne veux vraiment pas essayer ? Elle se moqua de lui.

– Ça suffit, dit Fred. Tu es virée, Jacqueline.

On frappa à la porte de la grande salle, tout au fond. Fred cria d'entrer. L'indicateur Briffaut parut au loin. Laisse-nous, maintenant, Jacqueline, dit Fred. L'ex-Belle-sœur déposa sur lui un regard outragé puis se retira dignement, sans un mot, ses talons hauts claquèrent à travers la salle, l'indicateur s'effaça sur son passage, elle laissa la porte béante après elle. L'indicateur ferma la porte, s'approcha. Fred avait défait ses brandebourgs, ôté ses bottes et sa culotte, il rendossait des vêtements normaux.

– Ça n'a pas l'air d'aller fort, fit Roger Briffaut.

– Rien du tout, dit Fred, des histoires. Je la remplace comme je veux. Comme je veux. Tu as vu tes amis policiers ?

– J'ai appelé, ils ont l'air de marcher. Le dossier, ils croient que c'est Chave qui l'a pris. Et puis ils cherchent un type qu'il connaît. Ils ne l'arrêteront pas tout de suite, mais maintenant il suffirait d'un rien.

– Il suffit toujours d'un rien, dit Fred. Pour tout.

18

Le lendemain matin, Georges Chave monta dans un taxi aux destinées duquel présidait un Indochinois mutique, tendu, qui l'observa dans le rétroviseur jusqu'au bas de l'avenue Secrétan. De là Georges se mit en marche, voulant reconstituer le trajet qu'il avait emprunté dans la Ford Capri de Baptiste, ce qui l'amena dans des rues qu'il ne connaissait pas. Il regardait, il aimait regarder les immeubles, les ferrures et les carrelages des entrées, les balcons, les entresols et les derniers étages, les moulures et les sculptures et les plaques sur les façades, les bow-windows, les jardins suspendus.

Le front d'un bâtiment était orné de sortes de colombages irréguliers en brique rouge sur blanche qui évoquaient les dernières lettres de l'alphabet, ponctuées de choux-fleurs en céramique verte et jaune – il reconnut l'immeuble avec un temps de retard.

Au cinquième étage, Georges sonna puis frappa plusieurs fois à la porte de droite, en vain, et celle de gauche sonnait également creux. Du fond de la cour intérieure toujours investie des mêmes déchets, s'aidant d'un pot de fleurs vide dont l'engramme s'était conservé dans son souvenir spongieux de ce moment, il repéra ensuite la fenêtre où Jenny Weltman lui était apparue. Un escalier symétrique au premier menait vers l'appartement correspondant dont la porte et sa voisine, cognées, manifestèrent le même flegme qu'en face. En redescendant, il rencontra une femme vêtue d'un surtout en étoffe plastifiée à motifs de moulins provençaux sur fond de lavande, ou hollandais sur fond de polders. Derrière elle valsaient des parfums enlacés de cire encaustique et de haricot de mouton. Elle apprit à Georges que tout le cinquième était à louer, de même que dans l'immeuble en face, elle lui conseilla de voir le concierge. Georges vit le concierge, qui lui fit voir l'appartement.

Il était vide. Il y avait sur les murs trois ou quatre images gondolées, décolorées, absurdes. Il y avait une table de nuit privée de son tiroir, de petits récipients fêlés et entartrés sous les radiateurs, ainsi qu'un volumineux fauteuil en cuir aux crevasses débordant de kapok et de crin, reposant sur ses ressorts, une brique tenant lieu d'un de ses pieds. Le gros siège se trouvait juste en face de la fenêtre où Jenny Weltman était passée. Georges passa un moment derrière le fauteuil, les mains posées sur le dossier comme si elle était assise là, comme s'il regardait ses épaules et sa nuque et la naissance blonde de ses cheveux. Le concierge proposa qu'on visitât ensuite l'appartement d'en face, juste là, il est à louer également, si vous désirez, Georges ne désirait pas.

Peu après, dans une cabine téléphonique sur le marché Secrétan, le docteur Spielvogel répondait à Georges qu'il ne pourrait pas le recevoir tout de suite, trop occupé par la visite des services de désinfection. On convint du début de la soirée. En attendant, Georges pouvait faire un tour vers la rue Oberkampf.

D'assez loin, à travers les vitres d'une petite Renault garée devant chez lui, il aperçut un nouveau bandage sur le crâne de Ripert. Il revint sur ses pas, contourna le pâté de maisons par la rue de Malte et la rue de Crussol, où des panneaux prévenaient le public d'un éventuel passage de fauves. Il se retrouva près de l'entrée du cirque, face au petit square d'où le regard couvre une partie des rues Oberkampf et Amelot, des boulevards Beaumarchais, du Temple et des Filles-du-Calvaire, à l'angle obtus d'une double perspective vers la République et la Bastille, et sur un banc duquel se tenaient assis Guilvinec et Crémieux. Georges traversa le boulevard, disparut sans pouvoir identifier les officiers de police. Quoique disposant de son signalement, eux ne le reconnurent pas non plus.

— Il y avait un toboggan, là, dans le temps, disait Guilvinec en désignant un bac de sable. On l'a enlevé, il devait être trop vieux, on ne l'a pas remplacé. Ils ne les remettent pas toujours, les toboggans. A quoi ça tient, tu crois ?

— Je ne sais pas, dit Crémieux. Les accidents.

— J'aimais ça, moi, le toboggan.

— Moi, se rappela Crémieux, les toboggans, je les remontais à l'envers. Ça glissait.

— Oui, fit Guilvinec. C'est ça la vie, chef.

Peu après vingt heures, le docteur Spielvogel s'excusa de ne pas recevoir Georges dans la volière, bouleversée par le raid des désinfecteurs.

— Ils me persécutent, affirma le docteur, ils nettoient tout pour un oui pour un non. J'ai dû mettre les oiseaux au salon, ils ont moins de place évidemment. Si vous voulez bien me suivre.

Le salon était en effet bourré de dizaines de petites cages en forme d'obus, entassées les unes contre et sur les autres, couvertes de tissu foncé pour la nuit.

— Ils dorment, dit le docteur. Vous vouliez les voir, je suppose, c'est dommage.

– Non, dit Georges, enfin si, il y en a un que j'aimerais bien voir.

– Le Morgan ?

– C'est ça.

– J'en étais sûr, triompha le docteur, c'est le clou de ma collection. Un oiseau rarissime. Comme disait Hérodote à propos du phénix, on n'en voit pas souvent. (Il rit, Georges sourit.) On me l'a déjà volé deux fois, vous savez.

– Je sais, dit Georges. C'est moi qui l'ai retrouvé, l'autre jour.

– Que ne le disiez-vous tout de suite, s'écria Spielvogel. Je vais vous le montrer, naturellement. Il peut bien se réveiller pour vous.

Il ôta le capuchon d'une cage installée sur un meuble à part : la paupière de Morgan battait froidement sur son œil de bille, qu'il posa sur Georges Chave sans montrer aucun signe de reconnaissance ni de reconnaissance.

– Comment vous expliquer ça, dit Georges. J'ai besoin d'un supplément d'information, si vous voulez. A propos de quelque chose qu'il m'a dit, le perroquet. Un nom. J'aurais voulu en savoir plus.

– Ce sera difficile, objecta le docteur. Ils ne font que répéter des sons, n'est-ce pas, on ne peut pas discuter avec eux. Si vous l'interrogez, il ne vous dira rien.

– Je sais, dit Georges, mais il a bien dû entendre ce nom quelque part. Si ce n'est pas chez vous, c'est chez un de ses anciens propriétaires. Vous les connaissez ?

– Plus ou moins, dit le docteur. Je vais vous raconter sa vie.

Le perroquet Morgan était âgé d'une soixantaine d'années, ce qui correspond en gros, à l'échelle humaine, à une soixantaine d'années, la génération du père de Georges. Son œuf était éclos à l'est du Cameroun, dans un modeste nid situé entre Deng-Deng et Meiganga. Par son appartenance à une variété tellement minoritaire, sans doute eut-il à souffrir d'un certain ostracisme avec ses congénères issus des principaux clans de psittacidés, qui constituaient de puissants groupes d'influence dans toute l'Afrique tropicale. Il connut néanmoins une enfance heureuse, choyé par une famille à qui tenait à cœur la perpétuation de la sous-espèce, dans l'évitement soigneux de toute mésalliance. L'animal apprit rapidement à imiter une bonne centaine de bruits de brousse, feulements de fauves, chants de collègues, pluie et vent, puisant sans retenue dans le répertoire de ses aînés. Il ne possédait en revanche aucune notion de bantou avant sa rencontre, sur sa vingt-cinquième année, avec une horde de chasseurs venus du levant qui pénétrèrent un beau matin dans son coin de brousse résidentiel à la suite de quatorze gnous, et massacrèrent ceux-ci sous l'œil éveillé de l'oiseau gris, perché non loin sur une racine aérienne de figuier. Morgan profita de l'occasion pour assimiler quelques exclamations cafres, un peu de vénerie bantoue, le cri du gnou frappé à mort.

Il ne rencontra plus aucun sapiens durant la vingtaine d'années qui suivit, au cours desquelles il mena une existence classique de perroquet, membre estimé de sa communauté, bientôt heureux père de trois petits Morgan, pas plus, la logique génétique d'une sous-espèce rarissime affectant un numerus clausus à sa fonction reproductrice. Agé de quarante-quatre ans, au cours d'une réunion de famille sur les basses branches d'un bananier, il aperçut un groupe d'humains blancs vêtus de blanc, escortés d'humains noirs vêtus de pagnes. Tous semblaient fatigués d'avoir marché longtemps. Un des blancs portait une barbe pointue ; quand il parlait, les autres obéissaient. Il désigna le couvert du bananier pour qu'on s'y reposât un peu parmi les welwitschies. Toute la famille Morgan s'était naturellement tue à l'arrivée des inconnus, mais au bout d'un moment, ceux-ci paraissant assoupis, on reprit la conversation interrompue, d'abord à bas bruit, puis cela dégénéra en un piaillement frénétique qui tira de son sommeil l'homme à la barbe pointue. Celui-ci ouvrit les yeux, les écarquilla sur le groupe d'oiseaux pérorant au-dessus de lui, sauta sur ses pieds et se mit à hurler deux ou trois phrases, toujours les mêmes, que la famille Morgan reprit en chœur aussitôt. A ce bruit, les indigènes se levèrent comme un seul indigène, déployèrent un filet et cinq minutes plus tard, la rafle achevée, les deux tiers des Morgan étaient pris. Barbe-pointue fit son choix parmi les captifs dont il ne retint finalement que deux individus, Morgan et un cousin, que l'on mit plusieurs jours à transporter jusqu'à la mer dans une cage accrochée à des perches ainsi qu'une arche d'alliance. Puis on les répartit dans des caissons distincts, chargés sur un cargo qui longeait vers l'ouest la côte de l'Or, la côte d'Ivoire, la côte des Graines, avant de remonter au nord avec une escale au Cap-Vert et une autre à Las Palmas. A Tanger, on transféra Morgan et son cousin dans de nouvelles cages climatisées, puis le bateau ne retrouva la terre qu'au Havre.

Le cousin partit aussitôt vers Paris où, près des grilles du jardin des Plantes, l'attendait un réduit donnant sur la Seine, ce qui le changea bien de la seule rivière qu'il eût jamais connue, qui était le quatrième affluent sur la gauche en remontant le fleuve Sanaga. On le céderait plus tard au zoo de Vienne, en échange d'un élan. Quant à Morgan, il passa quelques jours dans le noir au fond d'un dock, sur le port du Havre, avant d'être adopté par un ornithologue de Bruges chez lequel il vécut sept ans, correctement nourri, en compagnie de femelles d'une branche assez proche de la sienne pour qu'il en retirât quelque opportunité tout en s'initiant au flamand. Un jour, des huissiers vêtus de noir et de bleu foncé vinrent saisir les meubles du savant, confirmant une ruine déjà sensible depuis quelques mois à la fraîcheur irrégulière des graines et des fruits. Morgan fut vendu aux enchères à la mère supérieure d'un collège religieux situé à dix kilomètres de Bruges, vers Blankenberge. Depuis les fenêtres du bureau de la supérieure, près desquelles on avait disposé l'animal sur un perchoir avec une chaînette et un godet, il pouvait considérer la mer du Nord. S'il se tournait vers sa maîtresse, qui aimait sa livrée assortie à la robe de son ordre, c'était pour voir souvent par-dessus son épaule des visages contrits de petites filles prises en faute, serrées dans leur uniforme.

Pendant son séjour chez les sœurs, Morgan prit connaissance de tout un formulaire mystique et disciplinaire, avec un bon petit lexique latin. Au bout de six semaines, le perroquet était capable de faire l'appel des élèves à la place de la supérieure, chaque matin dans l'étude avant la prière. La mère ne décida de se débarrasser de l'oiseau que lorsqu'il se mit à intervenir dans les séances de réprimande qu'elle infligeait aux pensionnaires, austères entreprises dont les commentaires de Morgan réduisaient à néant la gravité.

Elle en fit don à un cirque de passage, au spectacle duquel elle avait mené un soir les élèves des grandes classes, et dont l'illusionniste l'avait assez troublée pour qu'elle lui fît parvenir Morgan anonymement, confondant lapins, colombes, perroquets, plongeant dans l'embarras l'escamoteur qui confia l'animal au clown blanc, dont la demi-sœur était montreuse d'oiseaux. Celle-ci comprit rapidement que Morgan était trop fort pour elle, ce qui acheva de la convaincre d'abandonner le show-business pour épouser un marchand de miel, après avoir passé une annonce concernant le volatile dans le *Gazet van Antwerpen*. Le premier à répondre à l'annonce fut le docteur Spielvogel, qui racheta le perroquet sans discuter puis ne s'en sépara que les deux fois où celui-ci lui fut volé, ramené la première fois six jours plus tard par un taxidermiste en larmes, la deuxième comme on sait.

— Voilà son histoire, dit le docteur. Ce nom, il a pu l'entendre n'importe où. Il y a ces gens dont je vous ai parlé, il y en a peut-être d'autres. Ça ne va pas être facile. Moi, je crois que ça ne me dit vraiment rien. Comment dites-vous, déjà ?

19

L'adolescente se tenait posée sur l'arête de la chaise que lui avait désignée la religieuse. Elle portait une tenue bleu roi, pèlerine, jupe plissée, béret penché, un corsage blanc boutonné jusqu'au menton, des bas de coton blanc, des chaussures noires vernies. Son regard buté se portait alternativement sur le parquet doré et sur l'épaule de la religieuse où s'écrasait une tache de soleil, traduite en rose par l'un des petits carreaux losangés de la fenêtre aux autres tons amande, cadmium, céruléen, en verre brut plein de bulles d'air par lequel on distinguait au loin, fondues, la mer et la côte plates à peine distinctes l'une de l'autre, avec quatre ou cinq silhouettes déformées de pêcheurs, de ramasseurs de coquillages, d'hommes seuls flanqués de chiens qui tenaient des bâtons dans leur gueule.

– Je connais votre situation, dit la religieuse. Votre père qui, votre mère malheureusement. Vous resterez au collège jusqu'aux vacances, bien sûr. Mais je dois prendre des sanctions, et je ne pense pas que vous puissiez retrouver vos camarades à la rentrée prochaine.

L'adolescente ne manifesta aucune réaction.

– Essayez de me répondre, ma petite Evelyne, pourquoi avoir fait cette farce, cette chose chez le jardinier ? Nous allons devoir nous défaire aussi de lui, à présent. Il va se retrouver sans travail, pour une faute qu'il n'a peut-être pas commise. Votre franchise résoudrait bien des problèmes.

La petite Evelyne se redressa. Le soleil avait avancé dans sa course et, filtré par le losange suivant, tamponnait de bleu son visage blême saupoudré d'acné.

– C'est pas moi, souffla-t-elle sourdement, c'est pas vrai que c'est moi.

La religieuse leva doucement les yeux au ciel, joignit ses mains d'un geste las. Disparue l'adolescente, une moniale musclée à moustache drue vint annoncer nerveusement la présence d'un homme dans le secteur, qu'on avait neutralisé dans la bibliothèque. La religieuse fit un signe d'assentiment, passa un long doigt distrait sur son front lisse et redressa doucement sa coiffe. La moniale s'en fut pour revenir sur les brisées de Georges Chave, qui salua.

Tout se passa plus vite que Georges ne l'aurait cru : la mère supérieure du collège Sainte-Etoile se souvenait parfaitement du perroquet Morgan. Il lui semblait que c'était hier, huit ans déjà. François d'Assise à l'appui, elle eut quelques phrases sur l'amour, les oiseaux, l'amour des oiseaux, désignant deux perruches ondulées qui pépiaient près de la fenêtre sur un petit trapèze, à l'intérieur d'une cage sphérique.

En franchissant le portail du pensionnat qu'avait fini par entrouvrir, après de longues négociations, une sauvage sœur tourière dont le trousseau de longues clefs anglait aigûment le ceinturon, Georges s'était préparé à l'attaque d'une vieillarde caustique, burinée, hermétique, espagnole – pas du tout : la supérieure ressemblait à Edwige Feuillère, elle portait son habit monastique élégamment, comme provisoirement, telle une conventuelle de roman libertin.

– Weltman, répéta-t-elle. Peut-être.

Elle fit tinter une clochette. Guettant sans doute derrière la porte avec une arme légère à sa portée, la nonne velue apparut aussitôt, disparut, reparut avec un gros registre sous son bras puissant.

– C'est cela, dit la mère, Jenny Weltman. Elle est restée trois ans chez nous. Que désiriez-vous savoir ?

– Je ne sais pas, dit simplement Georges. Je la cherche.

La religieuse porta sur Georges un doux regard. Je ne devrais peut-être pas, dit-elle en notant quelque chose sur un minuscule morceau de papier. Tenez, l'adresse de ses parents, à Ostende. Mais c'est déjà ancien, peut-être ont-ils déménagé.

Après s'être confondu, Georges redescendit l'escalier monumental de l'institution, battu de courants d'air et fleurant néanmoins la stéarine et le linge frais, avec une note de renfermé, puis il traversa un espace hybride, moitié cour moitié jardin, aux confins duquel, sous de vilains préaux, des groupes bleus de jeunes filles immobiles le regardèrent s'éloigner.

A Ostende, l'adresse ne lui servit à rien. Aucun Weltman n'habitait dans l'immeuble et aucun des voisins, de suspicieux Flamands nullement enclins au bilinguisme, ne voulut lui confier le moindre souvenir. Georges parcourut la ville, ou plutôt toute une partie de la ville qui borde la mer, du port marchand au casino fermé. Sur les galets détrempés des marées basses évoluaient les mêmes promeneurs qu'à Blankenberge, les mêmes collectionneurs de coques, le même chien courant après la branche que lui lançait et relançait le même homme seul. Georges se sentit comme ce chien, mais sans branche ; comme cet homme seul, mais sans chien. Il se rappela le misérable ornithologue de Bruges visité le matin même, seul et sale dans son cabinet souillé de déjections d'oiseaux absents, tapissé d'images jaunies arrachées à des revues, d'épais rideaux de velours bronze tirés en plein midi sur un rang de cactus morts et de bouteilles vides, avec un mainate bègue qui voletait craintivement parmi les débris de meubles dont aucun huissier ne voudrait jamais. Le savant ruiné n'avait rien à dire d'une femme blonde en robe noire à détails bleus, dont Georges ne possédait qu'un souvenir enrubanné de rose avec un autre plus lointain, entre deux fenêtres, à la distance qu'il faut pour qu'un trompe-l'œil soit efficace. Quoique au bout d'un moment le regard de l'ornithologue se fût un peu éclairé, et l'homme s'était mis à feuilleter un vieil annuaire américain en grommelant qu'après tout, ce nom, mais Georges était parti assez vite.

Sur la voie qui longe la grève des calèches vides passaient, menées par des cochers bottés, coiffés, vêtus de noir ample sur leurs corps rouges et blancs, et qui poussaient leurs chevaux massifs comme des bêtes de trait labourant le bord de mer. Georges rentra dans l'intérieur d'Ostende. Les gens parlaient leur langue inconnue. Dans un café, trois hommes assis ne se retournèrent pas sur lui à son entrée, et le garçon mit du temps à comprendre la commande ; le nom de Weltman n'était même pas dans l'annuaire. Georges mit du temps à retrouver ensuite le chemin de la gare, où on lui apprit qu'un train quitterait la ville un peu avant minuit. Georges réserva une couchette et tua le temps qui le séparait de son départ dans un cinéma où l'on projetait un film en flamand dont il ne comprit pas le titre, et qui semblait raconter lentement l'histoire d'un gangster maniaco-dépressif revenant dans son village natal pour y laver un vieil affront.

Bien avant minuit il chercha son wagon, où se trouvait

déjà un jeune soldat francophone et titubant, une canette à la main, en train de lire les numéros des places à voix haute avec une grande application. Cela entièrement fait, tournant vers Georges un œil humide et louche, il désigna son uniforme du bout des doigts :

– L'armée, présenta-t-il.

Battant lourdement de l'épaule contre le châssis d'une couchette supérieure, il se mit à tripoter le bouton de la veilleuse.

– La vie à l'armée, c'est bien, improvisa-t-il, c'est simple. Comme cette lampe : on allume, on éteint, on allume, on éteint. C'est simple, c'est très simple. C'est très bien.

– Sûrement, dit Georges.

– Et puis on voit des filles, poursuivit le guerrier, son strabisme pointé sur Georges. On voit des filles, on voit des choses, ça c'est très bien aussi.

Plus tard, lorsque après avoir visité la gare en détail Georges regagna le compartiment, le militaire n'était plus là. A sa place se trouvait un jeune couple, collier de barbe et collier de perles, avec deux femmes entre deux âges et deux congrès. Sur la couchette supérieure symétrique à celle de Georges avait déjà pris place une jeune femme assez jolie, un peu blonde, qui ne ressemblait en rien à Jenny Weltman mais avec qui Georges échangea trois regards. On se mit sous les couvertures. Le train parti, quelqu'un éteignit le plafonnier, laissant brûler au-dessus de la porte la veilleuse du soldat qui n'éclairait au-delà d'un mètre que les contours, rendant à peine distincte la jeune femme aux yeux de Georges et sans doute vice versa.

Ils se regardèrent à plusieurs reprises pendant la nuit, très discrètement, l'un fermant les yeux quand l'autre les rouvrait, jusqu'à Paris où elle s'éloigna rapidement le long du quai noir et froid. Elle traversa le hall vers un escalator desservant une station de taxis. Au même instant, dans l'autre sens, l'escalator parallèle élevait vers les quais l'indicateur Briffaut. Comme ils allaient se croiser, l'indicateur tira de sa poche une enveloppe flétrie contenant des photographies qu'il inventoria machinalement, et parmi quoi figurait Georges Chave en gros plan. La jeune femme reconnut au passage l'homme de la couchette d'en face, se retourna vers Briffaut avec une expression inquiète puis disparut à tout jamais.

Roger Briffaut n'eut donc aucun mal à identifier Georges, comme celui-ci passait la rangée de composteurs en direction du buffet. Le visage de l'indicateur ne refléta aucune surprise particulière. Il n'avait pas dormi. Sa nuit s'était passée parmi différents bars, dans l'un desquels un homme fraîchement libéré qu'il avait dénoncé deux ans plus tôt l'avait reconnu. Briffaut avait dû courir. Il était fatigué. Des saveurs âcres de bière tiède et de café serré rancissaient sa bouche, déjà aigrie par l'absence de sommeil. Son front et ses mains étaient moites, noirs les manchettes et le col de sa chemise. Il marcha vers une cabine téléphonique qu'occupait un haut personnage d'une trentaine d'années, vêtu d'un costume tyrolien, et dont le crâne rasé s'ornait d'une longue mèche filasse qui ballottait solitairement sur son oreille. Le personnage expédiait de brèves phrases dans le combiné, puis il raccrocha sèchement, se dégagea de la cabine en bousculant Roger Briffaut, lequel patienta longuement après avoir formé un numéro sur le cadran. Enfin, une voix pâteuse se présenta au bout du fil.

— Allô, fit l'indicateur. Bonjour, c'est Briffaut.
— Rhonf, produisit la voix.
— Roger Briffaut. Roger, de Chalons.

– Ah, fit la voix. Dites-moi, Briffaut, vous savez quelle heure il est ?

– Six heures moins dix. Il est là, votre type, je l'ai trouvé. Gare du Nord. Restez où vous êtes, je vous rappelle dans une heure.

– Et comment que je vais rester où je suis, dit la voix.

L'indicateur raccrocha, composa un second numéro, demanda la chambre 28 à une autre voix pâteuse.

– Oui, fit ensuite un organe à peine plus clair.

– Monsieur Shapiro ? C'est Roger.

– Tiens, Roger, dit Fred en toussant. Tu sais quelle heure il est ?

– Pratiquement six heures, dit Briffaut. J'ai retrouvé le type, gare du Nord. Il est au buffet, là, il boit quelque chose de chaud. J'ai prévenu les flics, c'était bien ça qu'il fallait faire ?

– Bien, dit Fred. Tout à fait ça.

– Je vous rappelle dans un moment.

– Très bien, dit Fred.

Fred était encore resté dix minutes dans son lit, puis il s'était levé, lavé, nourri, lentement vêtu, puis Roger Briffaut avait rappelé. Roger Briffaut n'avait pas eu besoin de suivre longtemps Georges : le premier hôtel venu, tout près de la gare. Il avait aussitôt rappelé Guilvinec, et fait prévenir Benedetti par Ripert. C'est bien, avait encore dit Fred puis il avait raccroché. Puis il avait noué sa cravate et ses lacets.

149

20

Mais dans les agences de comédiens non plus on ne connaissait personne de ce nom. On proposa quand même à Georges de consulter des fichiers, des catalogues de photographies, dans l'éventualité d'un pseudonyme. Georges y reconnut beaucoup d'hommes et de femmes qu'il avait vus au cinéma, à la télévision ; il s'étonna aussi qu'il y en eût tant d'autres qu'il ne connaissait pas. Mais toujours nulle trace de cette femme qu'il cherchait.

La dernière agence sur sa liste se trouvait dans la rue de Ponthieu, parallèle aux Champs-Elysées et reliée à ceux-ci par une luxueuse galerie couverte, bourrée de vitrines arrangées par des décorateurs aux devis étonnants. Lorsque Georges fut entré dans ce passage, quatre personnes au moins s'y engagèrent également, qui toutes s'intéressaient à lui. Les deux premières étaient les forces de l'ordre, les deux autres les agents de contentieux. Ceux-ci avaient suivi Georges dans la rue de Ponthieu, celles-là se postèrent à l'entrée opposée du passage, du côté de l'avenue, dans une mouvance de touristes japonais brandissant des caméras japonaises.

Dès qu'il eut repéré derrière lui Bock et Ripert, Georges se jeta entre deux boutiques dans un des recoins du passage qui n'en manquait pas, étant distribué sur plusieurs niveaux par nombre d'escaliers mécaniques ou pas, compliqué par des allées annexes, des couloirs, des décrochements, des mezzanines, entrées de service et sorties de secours. Le recoin de Georges se prolongeait par un vestibule bref en cul-de-sac, clos d'une porte beige portant la mention *Sans issue*. Georges poussa quand même la porte, derrière quoi se poursuivait obscurément le vestibule. Il revint sur ses pas, inspecta l'entrée opposée du passage, y vit deux hommes trop immobiles en contemplation devant l'étal d'un concessionnaire de chaussures anglaises. Georges battit en retraite, passa la porte beige, s'engagea dans le noir.

Quelques mètres à tâtons, une autre porte : un autre coin du passage, d'autres boutiques ; Georges entra dans la première venue. Il s'agissait d'un débit d'horoscopes modernistes combinés sur ordinateur, avec un comptoir derrière lequel se tenait un homme vêtu d'un costume trois-pièces violine. Georges s'empara d'un prospectus.

– Ça vous intéresse ? fit l'homme au bout d'un moment.

– Beaucoup, beaucoup, répondit Georges en s'écartant de l'entrée.

C'était tant, indiqua l'homme, tant pour en savoir plus et encore tant avec tous les détails, Georges voulait-il essayer ? Georges acquiesça machinalement, jetant des regards dans le passage aussi loin qu'il pouvait. L'astrologue s'approcha de la machine, pressa quelques boutons préliminaires. Georges s'entendit décliner ses date et lieu de naissance, et même préciser Bélier ascendant Gémeaux, tout en découvrant une petite porte au fond de la boutique, de l'autre côté du comptoir. Je sais, je vois, prétendit l'autre en composant les données sur le clavier de l'ordinateur.

L'appareil crépita aussitôt avec zèle, expulsant un papier large, sans fin, noir de texte, puis des pas retentirent bruyamment à l'entrée de la boutique. Les amateurs de chaussures britanniques barraient la route à Georges, l'un brandissait une carte et l'autre une plaque. En arrière-plan, adossés à un bail à céder de l'autre côté de l'allée marchande, bien distincts sur fond de vitrine passée au blanc d'Espagne, Ripert et Bock considéraient avec détachement la scène de l'extérieur. Georges bouscula brusquement l'astrologue et se rua derrière le comptoir vers la petite porte, qui s'ouvrit puis se referma sur lui. Il poussa un verrou intérieur, et c'était une petite pièce avec une table et une chaise, un calendrier mural, des piles de brochures et de papier vierge, une affiche en couleurs représentant un cheval traversant une rivière, un badge à l'effigie de Claude François fiché au papier peint. Il n'y avait pas d'autre issue que cette porte contre quoi, dehors, on s'énervait déjà. Juste en face d'elle, une sorte de cadre pratiqué dans la cloison à hauteur d'homme évoquait un accès de monte-charge ou un passe-plat condamné, clos par un panneau d'aggloméré sur lequel étaient punaisés des avis, des notes de service, trois factures et deux cartes postales de Bayonne et de Bandol. Contre tout espoir, Georges cogna le panneau qui rendit un son décourageant, d'ailleurs à peine audible sous les coups redoublés qu'on portait à présent contre la porte. Mais contre toute attente le panneau disparut brusquement, et à sa place apparut le buste d'un homme au crâne chauve ou rasé, orné d'une seule mèche latérale, comme une ficelle collée sur un œuf, strictement vêtu de vert avec un edelweiss en plastique blanc à la boutonnière.

L'homme fit un signe calme à Georges, qui s'approcha. L'homme aida Georges à franchir le passage. Puis il alluma une lampe de poche, rétablit le panneau dans son cadre, fit un nouveau signe et Georges le suivit dans un couloir plus étroit et bas que tous les précédents, au plancher couvert d'une poussière épaisse où leurs pas laissaient des traces. Georges distinguait à peine la mèche de l'homme balancée comme une plume au rythme de sa marche de Huron.

L'homme parla. La poussière étouffait sa voix dans le volume restreint du vestibule. L'homme s'appelait Donald, et le vestibule était un passage secret – de moins en moins secret, déplora Donald – qui avait bien servi pendant la guerre ; il communiquait par de nombreuses issues avec le réseau des boutiques et arrière-boutiques du passage, et longeait intimement de nombreux appartements dans tout le pâté de maisons qui s'étendait jusqu'à la rue de Berri, parfois même en traversait certains.

En effet, Donald brandit un passe trente mètres plus loin. Entre deux portes discrètes, ils traversèrent prestement une cuisine ensoleillée où mijotait un fricot solitaire, pendant qu'une voix dans la pièce à côté criait : « Robert, c'est l'heure ! » Puis ce fut à nouveau le silence et la nuit. Plus loin, entre deux autres portes, ils franchirent un placard à balais derrière la troisième porte duquel un homme criait en espagnol son amour pour une femme. Puis le silence et la nuit. Puis une sorte d'antichambre équipée en secrétariat miteux, d'où une vieille sténodactylo assoupie sur un bottin ne voulait pas sortir ; ils durent se résoudre à passer devant elle, sur la pointe des pieds, elle ne montra aucun étonnement. Le silence et la nuit. Une salle de bains désaffectée depuis trente ans : un savon plus sec qu'un galet sur le rebord d'une baignoire débordant de toiles d'araignées, des légions de blattes sur le carrelage poudreux, et, suintant éternellement d'un robinet, un filet d'eau froide immobile qui devait constituer pour les parasites une sorte de preuve de l'existence de Dieu. Le silence et la nuit. Un salon bondé par contraste de personnes lubriques et pressées, cols défaits, verre en main, bretelles glissées, boutons sautés, que Donald et Georges traversèrent sans qu'on les remarquât, même quand ils durent déplacer un divan où s'ébattait un groupe pour libérer la porte ramenant au vestibule. Le silence, la nuit, les archives d'un avoué, une chambre d'enfant très en désordre, la salle d'attente d'une infirmière avec son jeu complet de clients, enfin le soleil froid de la rue de Berri, par le sas embaumé d'un dépôt de fleuriste devant lequel stationnaient deux mobylettes Peugeot bleu fumée.

Donald ôta les antivols, enfourcha l'un des engins, désigna l'autre à Georges, et ils se firent un chemin parmi les voitures entassées en apnée, suffoquant au pied des feux rouges jusqu'au rond-point des Champs-Elysées. Au-delà, vers la Concorde, le trafic était au contraire presque nul, ils filèrent sur l'Obélisque comme cap sur un phare, entre les grands et gros arbres massés de part et d'autre du large canal d'asphalte, l'air coulait et courait dans leurs vêtements. Le visage de Donald exprimait une grande tranquillité d'Apache bavarois. Georges suivait.

Ils remontèrent la Seine par la rive droite jusqu'à l'Hôtel de Ville, sinuèrent à travers le Marais vers l'église Saint-Ambroise. Derrière cet édifice, un immeuble pour classes moyennes était bordé d'une petite grille aux arceaux de laquelle ils cadenassèrent leurs montures.

C'était au troisième étage. L'appartement était structuré comme un peigne : un long corridor incurvé desservait une succession de pièces du même côté. Dans la dernière pièce se tenait un homme corpulent, assis

devant un verre à pied plein d'une boisson rose et mous-
se. Donald s'effaça pour laisser entrer Georges,
l'homme corpulent se leva.

– Ah, Crocognan, fit Georges. Je me disais bien.
Crocognan avait beaucoup changé.

21

Et puis non, il n'avait pas tellement changé. C'était un soin nouveau dans son apparence qui donnait cette impression, quelque chose de plus recherché dans sa tenue, dans l'arrangement difficile de sa courte chevelure de brute. Il n'avait plus de chapeau, mais son goût des couleurs franches était intact : une chemise à col roulé saumon sous une veste bleu nuit moirée d'éclairs bleu électrique, un pantalon coupé dans de la toile de tente vernie et des socquettes incarnat. De grosses bottines en peau de serpent étaient posées devant ses gros pieds. Tout cela coûtait sûrement cher. Crocognan dépensait sans compter l'argent qu'il volait.

Avec une grande économie de moyens, il exposa à Georges comment il avait pu monter une petite affaire stable en investissant le fruit de ses premiers larcins. Georges crut comprendre que l'appropriation et la revente d'objets d'art constituaient une branche importante de l'affaire dont Donald était le seul associé, premier actionnaire et second couteau.

Crocognan s'était relevé pour préparer deux tangos-panachés. Il dit avoir appris que Georges avait des ennuis, qu'on le cherchait, qu'on le persécutait, il avait expédié le talentueux Donald sur les traces de Georges et voilà, maintenant il voulait aider Georges, il se mettait à son service. Il se tenait pour son débiteur depuis le soir de la boîte de nuit, Georges se souvenait ?

– Bien sûr, dit Georges. Et madame Degas ?

Crocognan baissa les yeux vers ses bottines, tout son visage rougit comme un énorme fruit. Donald se rapprocha de Georges, se pencha vers lui. Parlez d'autre chose, souffla-t-il.

– Bon, dit Georges, un endroit tranquille. Pour me tenir à l'abri quelques jours.

Crocognan réfléchit, puis il pointa son doigt au-dessus de lui : une chambre de bonne exiguë, meublée d'un sommier métallique et d'une table en bois blanc tachée d'encre rouge, avec deux chaises Régence et une carpette formidablement usée. De l'autre côté d'une cour imperceptible, la fenêtre donnait sur un dernier étage symétrique percé de deux fenêtres assourdies de poussière, coiffé de zinc et de cheminées bardées d'antennes entre lesquelles évoluaient des compagnies de pigeons.

– C'est parfait, dit Georges. Ça ira très bien.

– C'est un peu petit, s'excusa Donald. Evidemment il n'y a pas le téléphone.

Georges passa trois jours et demi dans cette chambre, absolument inactif. On déposait chaque matin des journaux et des aliments frais devant sa porte puis il descendait prendre une douche au troisième, dans l'après-midi, passait un moment avec Donald et Crocognan, parfois quelques confrères à qui Crocognan avait dû parler de Georges Chave car ils le regardaient avec respect, l'écoutaient avec empressement, lui adressaient timidement la parole. Lorsqu'à deux reprises ils durent s'absenter quelques heures, ses hôtes laissèrent à Georges la clef de l'appartement, avec un mode d'emploi scotché sur le réfrigérateur. Ils revinrent chaque fois heureux et riches de leurs expéditions, les bras pleins de nourritures subtiles, d'alcools rares et de disques

157

neufs, de tableaux dans du papier kraft qu'on déballait, qu'on admirait.

Mais la plupart du temps Georges resta seul dans sa chambre, lisant, se grattant, captant de la musique sur le transistor de Donald. Il regardait parfois les pigeons par la fenêtre, parfois les pigeons le regardaient. Les pigeons parcouraient les toits en sautillant parmi les décrochements, les gouttières, les vasistas, projetant à chaque pas leur tête par saccades sèches, brutales, vaquant à d'incompréhensibles manèges en bande dispersée, généralement indifférents les uns aux autres, dans une oisiveté déplaisante que Georges n'aurait jamais songé à critiquer chez d'autres animaux. Parfois deux d'entre eux se retrouvaient face à face comme par hasard, s'intéressaient l'un à l'autre, frottaient longuement leurs becs sur un mode presque humain puis copulaient très brièvement pour s'enfuir aussitôt après l'acte, pas toujours dans la même direction, en un vol lourd, imprécis, comme des bombardiers trop chargés. Ils étaient assez laids, paraissaient fourbes, leurs rangs comptaient nombre d'infirmes, unijambistes ou borgnes, avec des alopécies, des plaies purulentes. Lorsqu'ils se lançaient dans l'air, leurs ailes claquaient et grinçaient comme du carton ; ils étaient mécaniques, urbains comme les rats, parfaitement symétriques aux rats par rapport à la surface du sol.

Fenêtre ouverte, on entendait peu de choses : une conversation violente étouffée par un claquement de porte, le prénom d'un enfant qu'on appelait ou rappelait à l'ordre, un tapis battu, des poubelles heurtées, les arpèges d'un trompettiste fantôme, des bourdons de radios périphériques aux heures des repas, les gloussements veules des rats de l'espace. Tous ces bruits s'organisaient dans le ventre calme de l'immeuble, s'harmonisaient comme s'ils étaient écrits, comme la bande-son d'un vieux film français.

Au bout de deux jours, ce n'était plus une vie. Dans la matinée du troisième, Georges annonça son départ. L'homme fort accueillit la nouvelle avec une gravité penaude.

– Je suis très bien ici, voulut s'excuser Georges, mais ce n'est pas une solution. Et puis je cherche une femme, tu comprends, je veux la revoir, je n'arrive pas à la retrouver. Je ne peux pas rester là sans rien faire.

– Donald, dit Crocognan.

– Donald, répéta Georges, tu crois qu'il pourrait la trouver ? Il m'a bien retrouvé, moi.

Il nota tout ce qu'il savait de Jenny Weltman sur un morceau de papier qu'il remit au Cheyenne transalpin, avant de l'envoyer déposer au siège d'un quotidien du matin le texte d'une petite annonce qu'il griffonna au verso, et qui faisait part de la naissance de Pepito de Campoënia. Le nourrisson serait porté le lendemain à seize heures sur les fonts baptismaux, on se retrouverait devant le portail gauche de Notre-Dame.

Le lendemain, Georges sortit de l'immeuble à quinze heures quarante. Boulevard Voltaire, un taxi le chargea jusqu'à Notre-Dame, sur le flanc gauche de quoi s'ouvre un petit escalier qui tirebouchonne vers les tours surchargées de boucs et de licornes, de phénix et de sphinx, de monstres et de monstres avec un éléphant, un dragon qui en dévore un autre, des aigles affreux, des singes ignobles. D'ici, la Seine était un caniveau brun, une enclave cadrée, civilisée, hors d'état de nuire. On était en semaine, hors saison, il n'y avait presque personne pour graver ses initiales sur les gargouilles. Georges n'eut pas de mal à découvrir Ferguson Gibbs en train d'uriner contre un arc-boutant. L'Anglais se retourna, se fendit d'un long sourire de biais, approcha en se reboutonnant.

– J'ai eu l'annonce, fit-il triomphalement. Vous croyez qu'il y en a, en bas, qui seront venus pour Pepito ?

22

Gibbs occupait une villa de deux étages entourée d'un petit parc à quinze kilomètres au sud de Paris, sur la ligne de Sceaux. Il y avait un valet cingalais, un Steinway et deux Picabia dans le living. Quoique je n'aime pas tellement Picabia, s'excusa l'Anglais, et vous ? Il y avait aussi la femme de Gibbs, une rousse explosive et incendiaire, du vert amande plein les paupières et des lèvres au carmin. Georges n'avait pas envisagé que Gibbs puisse être marié, ni qu'une telle femme ait pu lui échoir.

Au dîner, Ethel Gibbs extorqua un récit détaillé des aventures de Georges, puis l'on parla du testament Ferro.

– Je comptais bien sur vous, rappela l'Anglais. C'est embêtant.

– C'est trop compliqué en ce moment, dit Georges, avec ces types qui me courent après.

Une mouche maigre s'était posée sur la table et boitillait parmi les restes. Gibbs saisit un cure-dents, le maintint une seconde au-dessus de l'insecte avant de l'abattre sèchement. Il brandit la mouche harponnée, toute grésillante au bout du cure-dents.

– Bravo, dit Georges.

– Chéri, dit Ethel.

L'Anglais poussa un rire nerveux de collégien anglais, happa deux radis dans un ravier, se leva et disparut.

Georges resta seul avec Ethel, en silence. Ils se regardèrent par-dessus leurs verres.

– Ça va se calmer, vous verrez, dit-elle doucement. Ils finiront bien par comprendre que vous n'y êtes pour rien. Pourquoi n'allez-vous pas leur expliquer, tout simplement ?

– C'est trop compliqué, dit Georges, et puis je cherche une femme, c'est compliqué, réitéra-t-il, je n'arrive pas à la trouver.

– Une femme, sourit Ethel Gibbs.

– Je ne dis pas n'importe quelle femme, bafouilla Georges, je veux dire une femme particulière, qui porte un nom particulier.

Elle sourit encore, tira d'un étui doré une cigarette à bout doré. Lorsque Gibbs réapparut, Georges pelait une orange en silence, Ethel gravait des motifs sur la nappe du tranchant de son ongle rouge. Elle se leva de table comme son mari se rasseyait, disparut à son tour. L'Anglais se mit à regrouper les miettes éparses autour de son assiette en un petit silo blond.

– Elle n'est pas toujours très bien, fit-il à voix basse. C'est qu'il y a un problème d'argent en ce moment, je traverse une mauvaise passe, c'est tout récent. Ça la travaille. Ah, je comptais vraiment sur cette affaire, répéta-t-il. C'est embêtant. Je vais vous montrer votre chambre.

Elle était orientée au sud-est, et un grand marronnier écrasait contre la fenêtre ses extrémités noires, fines, cassantes, bardées de gel le lendemain matin. Puis le temps se radoucit, puis il plut frénétiquement plusieurs jours, sans nuance, comme si l'eau n'allait plus jamais s'arrêter de tomber. Ferguson Gibbs s'enfermait souvent dans la bibliothèque avec sa femme, refaisant ses comptes, déballant des paquets d'ouvrages ésotériques

162

de Frithjof Schuon ou du Père Anizan qui lui arrivaient quotidiennement et qu'il entassait sans les ouvrir. Il se rendait presque tous les jours à Paris, où son avocat l'aidait à fuir devant une meute de créanciers. Il apparut bientôt que l'avocat avait lui-même rallié la meute, et l'homme roux revint chaque fois plus essoufflé de ses courses, plus débiteur et trempé, l'humeur terne et sourde, le regard coupé du monde comme si les verres de ses lunettes étaient dépolis. A table, on se plaignait du temps.

L'Anglais finit par renoncer à ses courses-poursuites dans Paris, et automatiquement il cessa de pleuvoir. Au déjeuner, Ethel annonça qu'ils étaient invités pour la soirée chez des amis voisins, avec d'autres amis, sans doute quelques amis d'amis, ce serait amusant, Georges pourrait venir.

– Ce n'est peut-être pas prudent, objecta Georges.

– Qui craignez-vous de rencontrer ? demanda Ethel. Et puis imaginez qu'elle soit là ce soir, elle, et vous ne seriez pas là ?

– De qui parlez-vous ? demanda l'Anglais.

– Venez, insista-t-elle. Si elle n'est pas là, je vous présenterai Florence.

– Oui, venez, Georges, dit Gibbs, je peux vous prêter mon autre smoking.

Sur le flanc d'un monticule boisé avant-coureur de Fontainebleau, il y avait un très grand parc privé contenant une dizaine de maisons luxueuses, flanquées de courts de tennis avec une chaise haute en métal peint pour l'arbitre, de piscines protégées par des bâches que l'eau de pluie pochait en grosses flaques molles comme des bulles, de grappes de voitures luisantes massées devant les portails garnis de cellules photoélectriques.

Il fallait patienter d'abord devant la grille de la propriété, près d'un bungalow pour une personne, comme un petit poste de douane d'où sortit un gardien en uniforme gris, avec une casquette barrée d'un galon. Gibbs lui tendit un carton. Le gardien examina le carton, alla téléphoner, revint, ouvrit la grille. Au bout d'une allée, un autre gardien leur indiqua une place de stationnement près d'une grande maison blanche avec des arcades sur le devant, une porte carrée, une femme en robe rose sur le seuil.

Elle courut vers la voiture, embrassa Ethel Gibbs et l'entraîna vers l'intérieur de la maison. Elle était très jolie, très gaie, ce devait être Florence. Georges et Gibbs entrèrent à leur tour : il pouvait y avoir une centaine de personnes. Ils firent le tour des pièces, principalement meublées de fauteuils et de canapés groupés en rond autour de tables basses ainsi que des chariots d'émigrants. Des hommes en tenue passaient entre les sièges, portant sur leurs plateaux des verres pleins de petites bulles, des buissons de cigares, des tumulus de toasts. Il y avait aussi un salon de musique désert au milieu duquel, assis devant un long piano à queue noir et laqué comme un cercueil de collectivité, un virtuose inactif vêtu d'un frac déchiffrait un journal déplié par-dessus les partitions.

Un bourdon de parole indifférenciée courait d'une pièce à l'autre, coupé de rires précis tintant parmi les verres. A l'entrée d'un salon se trouvaient groupées quelques relations de l'Anglais, qui agita douze mains avec une expression de détermination hagarde, comme s'il traversait un nuage de sauterelles ou une chute d'eau. Au fond d'un autre, ils trouvèrent deux fauteuils inoccupés sous une tapisserie d'un gris-brun fané qui figurait un cerf au regard vide cerné par une horde en arrêt.

– On est partis pour s'emmerder un moment, estima Gibbs confidentiellement. Encore un coup de trois quatre heures du matin.

– On peut s'en aller avant, suggéra Georges.

– J'aime autant pas, dit l'Anglais, mieux vaut partir dans les derniers. Moins de mains à serrer.

Au bout d'un bras, un plateau traversa l'espace devant eux à l'allure lente et molle d'un vaisseau interstellaire. Georges y saisit un verre carré avec du whisky dedans, à fleur de quoi claquaient de gros glaçons cubiques. Mais un instant plus tard le verre tombait, Georges bondissait derrière son fauteuil, s'accroupissait à l'abri du dossier ; l'alcool aussitôt bu par les fibres marquait le tapis d'une tache en forme de Meurthe-et-Moselle. Qu'est-ce qui se passe ? s'inquiéta l'Anglais. Georges posa un doigt sur ses lèvres, désignant d'un autre le docteur Spielvogel.

Le docteur venait d'apparaître. Il portait un costume sombre avec une pochette aiguë comme la pointe d'un couteau sur son cœur, l'aileron d'un requin blanc sur une mer d'encre. Il projeta un regard circulaire sur la pièce, avisa le fauteuil vide près de Gibbs, s'en empara d'autorité.

– Charmante soirée, déclara-t-il cordialement. Cette place n'est pas occupée, j'espère ?

– Malheureusement si, dit Gibbs. Et il va revenir d'un instant à l'autre.

– J'attendrai, dit le docteur, je me repose un instant. Que de belles femmes. Vous êtes un ami de Schumacher ?

Ethel Gibbs était elle aussi entrée dans le salon, juste après Spielvogel. Restée près de la porte, elle avait vu toute la scène, supposé ce qui devait se passer. Elle s'approcha de son mari, lui dit trois mots sans conséquence pour se tourner ensuite avec un long sourire tiède et carnivore vers Spielvogel sur la poitrine de qui s'allongea, frétilla bientôt le triangle immaculé. Le docteur se leva, baisa la main d'Ethel et lui tendit son bras, puis s'éloigna serré contre elle, dessinant de l'autre bras des moulinets dans l'air.

Georges se leva, marcha vers la première porte en vue qui accédait à une salle de bains remarquablement haute de plafond. Il attendit, se regarda de très près dans la glace, se lava les mains, attendit un bon moment. Puis la porte s'ouvrit, Ethel entra.

– J'ai éloigné le monsieur, dit-elle, Florence s'en occupe. Vous pouvez sortir de là.

Ils récupérèrent Ferguson puis se dirigèrent vers l'entrée, retraversant les pièces en sens inverse, Ethel en éclaireur trois mètres devant Georges et l'Anglais qui avait dû boire un peu en les attendant, et qui avançait en se rattrapant éventuellement à une poignée de porte, au bras d'un fauteuil, à l'épaule de Georges.

– J'ai réfléchi à votre histoire, annonça-t-il. Ça va se décoincer.

– Vous croyez ?

– Il faut que ça se décoince, assura Gibbs avec force. Ça ne peut que se décoincer, d'ailleurs. Ça n'est pas fait pour se coincer, n'est-ce pas, alors quand ça se coince c'est plutôt bon signe finalement, c'est signe que ça se décoincera bientôt.

– Je comprends, dit Georges.

– Et quand ce n'est plus coincé, poursuivit l'Anglais, alors il faut que ça se recoince, voyez-vous, pour pouvoir ensuite encore mieux se décoincer.

– Je vois, dit Georges.

– C'est ainsi, conclut Gibbs. Coincé, décoincé, coincé, décoincé, c'est comme ça.

Ethel leur fit signe d'avancer ; la voie était libre jusqu'au salon de musique où, son journal achevé, l'inactif s'était mis à jouer un air d'une fausse gaieté, d'une désinvolture sans cesse contredite par une main gauche navrée, comme le sourire d'un homme au cœur brisé. Ses grandes mains jaunes luttaient en s'esquivant mollement, sans presque jamais se toucher, mygales blafardes se poursuivant parfois frénétiquement à l'occasion d'un trait, sautant à l'occasion l'une par-dessus l'autre. Puis la voie fut libre jusqu'à la Volvo.

Peu après, libéré par Florence, le docteur Spielvogel errait encore d'un siège à l'autre en recherchant distraitement Schumacher. Il s'approcha d'un groupe d'hommes assis autour d'un seau de métal blanc d'où saillait en iceberg le col d'une bouteille cerné de petits blocs de glace. Non, il n'y avait que des têtes inconnues, sauf celui-là, juste en face, le docteur s'étonna de ne pas l'avoir aperçu plus tôt. Mais il avait dû arriver depuis peu, il avait encore son manteau, il dénouait seulement son écharpe. Spielvogel contourna le groupe, se pencha vers le nouveau venu, lui toucha l'avant-bras.

– Content de vous revoir, dit-il. Vous avez amené votre ami, j'ai vu. Bonne idée.

– Quel ami ? fit Benedetti en dégageant son avant-bras.

– Ce garçon efficace, vous savez, qui s'est occupé de Morgan. Je viens de l'apercevoir avec des amis à lui, ils s'amusaient, une sorte de jeu autour d'un fauteuil, je n'ai pas bien compris. Des gens très sympathiques, d'ailleurs, charmants. Soirée charmante. Que de belles femmes, n'est-ce pas, simulacra pulcherrime facta, vous n'auriez pas vu Schumacher ?

– Qu'est-ce que vous racontez ? fit Benedetti en renouant son écharpe.

23

A quatre heures vingt-cinq du matin, éveillés à la hâte par leur chef, Bock et Ripert prirent d'assaut le domicile de l'Anglais. Deux terrasses encadraient le bâtiment : l'une surplombait une véranda et communiquait par une porte-fenêtre avec les appartements privés des Gibbs ; l'autre était constituée par le toit d'un petit garage rajouté sur le tard, bordée par une rambarde trop basse, et l'on pouvait s'y rendre de l'intérieur en enjambant la fenêtre d'un débarras inutilisé qui jouxtait la chambre attribuée à Georges.

Bock s'attaqua à la terrasse accédant à la chambre d'Ethel et Ferguson ; on pouvait y grimper sans trop de mal par une paroi montée en grosses briques ajourées. Ripert entreprit l'autre à l'aide d'une corde et d'un grappin pendant qu'à l'insu de tous et vingt mètres de là, toujours au courant de tout, l'indicateur Briffaut surveillait la scène.

Le grappin était constitué de deux crochets plats, triangulaires, pivotant sur un axe. Ripert dut s'y reprendre à trois fois pour le fixer à la rambarde. Georges ne dormait pas vraiment. Georges superposait dans un demi-sommeil engourdi l'image de Jenny Weltman et quelque chose de celle d'Ethel Gibbs. Il entendit précisément les deux premiers chocs avortés, puis un troisième suivi d'un bref frottement d'acier sur le ciment, un bruit déplaisant qui rappelait le dentiste. Il se leva aussitôt, passa ses vêtements sans allumer la lampe, sortit de la chambre et poussa la porte de la pièce désaffectée. Il distinguait par la fenêtre la surface grise de la terrasse sur fond noir, au bord de laquelle se détacha bientôt quelque chose d'animé, d'un gris plus foncé, presque fondu dans l'ombre, une partie de corps en mouvement, bientôt le corps tout entier accompagné d'un ahan perceptible.

Georges traversa promptement la petite pièce vers la fenêtre, s'enveloppa dans le rideau en cherchant à l'aveuglette autour de lui quelque objet lourd, maniable, contondant ; naturellement aucun. Puis un hurlement, un long cri horrifié traversa la maison obscure où se menaient tous ces mouvements furtifs. Aussitôt, tout s'accéléra.

A peine rétabli sur la terrasse, Ripert bondit vers la fenêtre du débarras alors que Georges l'ouvrait pour bondir lui-même sur Ripert. Ils se voyaient mal, se heurtèrent violemment. Ripert recula, étourdi, Georges le repoussa et Ripert recula encore, en perte d'équilibre, buta contre l'appui de la terrasse et bascula dans la nuit vide en jetant à son tour un cri bref, pas vraiment un cri, une protestation plaintive stoppée net par le choc de son corps sur la terre meuble. Tout cela en deux ou trois secondes, sous l'œil égaré de Georges, alors que s'élevait un nouveau hurlement quelque part dans la maison. Georges affolé se précipita au bord de la terrasse, ne distingua rien au-dessous de lui, se retourna vers la fenêtre : un bruit approchait, de la lumière s'était faite. Sa main se posa sur le grappin coincé dans la rambarde qu'il enjamba aussitôt ; il s'accrocha fermement à la corde.

De l'autre côté de la maison, Bock se tenait au centre de la chambre des Gibbs, perplexe dans son manteau, son neuf-coups Manufrance à la main, sous les yeux révulsés d'Ethel à peine remise d'avoir crié si fort, pendant que Ferguson cherchait ses lunettes à tâtons sur la table de nuit. Le plafonnier répandait une lueur crue et déprimante sur tout cela.

– Taisez-vous, ne bougez pas, dit Bock d'une voix excédée. Un peu de calme, nom de Dieu.

Il sortit de la chambre, se mit à courir vers le point d'où lui avait paru provenir le glapissement de Ripert. Il rejoignit la petite pièce, enjamba la fenêtre, traversa la terrasse vide, se pencha :

– Christian, fit-il à mi-voix, Christian.

– J'ai mal, s'éleva la voix de Ripert. Ce con m'a fait mal au bras, et puis j'ai dû me casser une côte ou quelque chose. Descends.

Bock agrippa la corde à son tour et se laissa glisser non sans appréhension. Cela prit un certain temps.

– Mon bras, gémissait Ripert, peut-être l'épaule aussi. Et il m'a marché dessus en filant. Je le retrouve, je le tue.

Non loin, Briffaut les observait toujours, plus ou moins dissimulé derrière un tronc. Il les distinguait à peine, percevait à peine leurs paroles, comprenait à peine la situation. Bock réfléchit de toutes ses forces, son visage tiré par l'effort comme à la selle parfois. Au loin, dans le noir, le moteur de la Volvo de Gibbs gronda derrière la maison, enfla puis décrut rapidement, avant que Bock eût même songé à se mettre à courir.

– Mon pauvre bras, se lamentait toujours Ripert. Qu'est-ce qu'on va faire, maintenant ?

– C'est un échec, dit lentement Bock. Cette opération est un échec.

Il leva les yeux vers le ciel noir, mat, sans étoiles, vit

le buste de Gibbs se détacher vaguement au bord de la terrasse.

– Veuillez nous excuser, monsieur, dit Bock en se tenant le front. Une erreur, une malheureuse erreur. Nous allons partir tout de suite.

Gibbs écarquillait, clignait, déplaçait ses lunettes sans parvenir à différencier quoi que ce soit.

– Mon camarade est blessé, reprit Bock. Peut-être pourrais-je utiliser votre téléphone ?

– Foutez le camp, lança l'homme roux dans la nuit.

– Bien sûr, dit Bock, je comprends. On va se débrouiller seuls. Essaie de te lever, Christian, je vais t'aider. Attends.

Sur l'autoroute, à cette heure-ci, il n'y avait que des quinze-tonnes lancés à toute allure dans leur cortège classique de cuir, de tabac, de laine, de sueur et de gas-oil, et aussi quelques voitures particulières menées à toute allure par des hommes seuls, ivres et désespérés. Georges l'avait rejointe à Palaiseau, la suivit jusqu'à son raccord avec le périphérique, peu avant la porte d'Ivry, par laquelle il sortit côté banlieue.

Il était tôt, il faisait froid, le ciel avait l'air un peu plus clair d'un côté mais c'était une fausse impression, le soleil était encore très loin de paraître. Georges passa près d'une heure à chercher un bar ouvert dans Ivry. Enfin, près de l'hôpital-hospice, un obèse aux paupières lourdes lui servit un café comme de la soude caustique.

Ensuite il n'était plus loin de sept heures, une aube encrassée se délayait dans le béton clair moucheté des grands ensembles, l'anthracite des arrière-cours, se multipliait sur le pavé net, le goudron neuf, l'eau pure des caniveaux. La Volvo sinuait dans un appareil de petites rues jusqu'à un terrain assez vague, mal protégé par un portail auquel manquaient des gonds. Des ruines de portique s'y dressaient, un tourniquet figé, un bac de sable et d'excréments, une cabane sans toit, deux paires de poteaux face à face. Georges déplaça les battants du portail, manœuvra la voiture, la gara tout au fond du terrain.

Il faisait bien jour à présent, mais le soleil n'était toujours pas là. Les lieux étaient toujours hantés : des traces de foyer dénotaient un récent campement de rebelles, un Peacemaker sans barillet et un Stetson crevé témoignant d'une attaque des forces adverses ; un ballon rouge et noir était empalé sur une grille, de vieux préservatifs jaunis par l'érosion battaient aux branches hautes d'un buisson. Georges eut un regard de compassion pour la voiture de Gibbs ; elle serait sous peu entièrement désossée, ses usages seraient multiples – jeep, spitfire, panzer, forrestal –, ses sièges préciseraient des amours débutantes. Il commença par arracher ses plaques, les enfouit sous un tas de gravats derrière un bouquet d'orties.

Le soleil paraissait enfin derrière les tours de Charenton. Georges recoinça le portail dans son équilibre initial, vérifia qu'on ne distinguait pas la Volvo depuis le seuil du terrain de jeux, puis reparcourut en sens inverse le système de ruelles portant les noms de divers héros du mouvement ouvrier.

Ensuite il y avait une rue centrale bordée de garages, d'entrepôts, d'ateliers, de petits immeubles d'habitation étagés sur de petits commerces, de petites grandes surfaces. Et de l'autre côté un autre réseau, plus ou moins symétrique au premier.

Sur les piliers du portail, les dés géants affichaient toujours le même score. Georges poussa le battant de béton roussi d'oxyde, contourna comme d'habitude la maison de Fernand vers la cuisine, côté jardin. La porte n'était pas verrouillée, la cuisine était vide, baignant dans l'odeur sure d'un potage vaseux sur quoi des bribes et fibres de légumes se trouvaient prises dans un film gras, comme des écorces et des roseaux brisés à la surface d'une mare gelée. Georges voulut faire du café, du bruit ; il fourgonna parmi les ustensiles sans se retenir de les faire tinter, histoire d'éveiller en douceur le marchand de livres à l'étage.

Georges montait ensuite l'escalier, le bol de Fernand à la main, il heurta à mi-étage une colonne de journaux qui bascula, se défit le long des marches comme un gros jeu de cartes molles. Georges frappa doucement à la porte de la chambre, encore doucement, un peu plus fort, puis il poussa la porte et vit ceci.

Rien de spectaculaire ni de spécialement pénible : deux pieds écartés dans une position curieuse, chaussés de vieilles pantoufles à croisillons rouges et bruns, aux empeignes longuement piétinées, de l'autre côté du lit qui dissimulait le reste du corps à partir des chevilles.

Fernand était mort, pas depuis longtemps ; une mauvaise blessure barrait son front. Il avait pu se heurter en tombant au plateau en marbre de la table de nuit. C'était une chose. Cela n'expliquait pas pourquoi il était tombé. Il n'y avait pas de désordre particulier autour de lui, simplement l'anarchie naturelle qui prolifère dans une chambre à coucher d'homme seul et sauvage. Nulle trace de lutte ni de rien, nulle autre blessure apparente. Une attaque, une syncope, ces choses arrivent à ces âges-là, et puis il se blesse en tombant et puis il meurt. Peut-être est-il déjà mort quand il tombe. Personne n'est au courant. De son vivant, il reçoit peu de visites. Il ne les encourage pas. Il serait resté à se défaire là tout seul Dieu sait combien de temps si Georges n'était arrivé, justement.

Georges regarde le corps à ses pieds. Il se baisse, le prend dans ses bras pour le poser sur le lit. Le corps est léger. Georges est embarrassé. Alors, comme une sirène à deux tons éclate brusquement dans le lointain, enfle à toute vitesse, comme des pneus et des portières hurlent et claquent déjà devant la maison, Georges se sent happé dans un piège obscur.

Il n'avait plus de temps pour penser, il laissa tomber le cadavre en vrac sur le lit puis courut vers la porte, saisissant au passage le fusil de chasse du défunt, suspendu à une patère dans un torrent de manteaux poussiéreux ; il faillit trébucher dans le fusil au milieu de l'escalier. On frappait déjà contre la porte donnant sur la rue, Georges courut à travers la cuisine, s'engagea dans le jardin, se tourna en percevant un appel bref derrière lui : un homme en manteau brun venait de paraître à l'angle du mur, brandissant le museau mat d'une petite chose noire. Georges sentit le fusil entre ses mains. Il n'avait jamais tenu un tel objet, il n'aurait même pas su vérifier si l'arme était chargée. Il pointa le canon vers l'intrus, appuya sur ce qu'il savait être la détente.

Le fusil recula dans un bruit effroyable, lui portant à l'épaule un coup violent. L'homme disparut aussitôt. Avant de reprendre sa course vers le fond du jardin, Georges entrevit un petit cratère blanc sur le mur, dégageant une volute de poussière ou de fumée, juste là où était la tête du manteau brun l'instant d'avant. Un rire naturel sortit de lui ; il était excité, maintenant, il avait des forces.

Il escalada le petit mur d'enceinte en prenant appui sur l'armature pourrie du poulailler, tomba dans un autre jardin clos d'un autre petit mur qu'il passa tout aussi facilement. C'était ensuite un chemin, une cour, une autre cour, d'autres jardins ceints de murets semblables qu'il sautait sans relâche avec la même aisance, le fusil en bandoulière, les cris et coups de sifflet ayant rapidement décru derrière lui. Il courut ainsi à travers une vingtaine de carrés potagers ou floraux, défilant parfois devant des cellules familiales torpides installées à l'ombre de grandes cafetières derrière les fenêtres des pavillons, mais qui le virent passer si vite qu'on n'eut pas le temps de s'en émouvoir, qu'on le prit pour une dernière miette des rêves d'où l'on sortait.

Georges ralentit enfin, s'arrêta dans un petit espace de terre oublié qu'investissait un état sauvage de mauvaises herbes et de buissons dégénérés. Il s'allongea dans les feuilles sans s'occuper des épineux. Il était essoufflé, fatigué, il eut bientôt mal aux jambes, puis à l'épaule droite. Il aurait aimé dormir.

Les nuages passaient doucement au-dessus de lui. Il se sentait remarquablement seul. Il n'essaya pas de comprendre ce qui s'était passé chez Fernand, ni pourquoi au juste il avait fui. Il lui sembla ne pouvoir maintenant s'abstraire que par la fuite de quoi que ce fût, sans cesse, du moins pour le moment, ensuite on essaierait de voir. Il fallait d'abord trouver une voiture, et tout d'abord se lever, se repérer, faire disparaître le fusil sous ce bloc de fougères.

Il marcha vers un mur derrière lequel venaient de passer deux voitures, l'une un bon moment après l'autre. Le mur était aussi bas que les autres, prodigue en prises de toutes sortes, mais Georges eut du mal à se hisser. Son regard passa enfin le faîte, explora l'environ. Ses deux mains agrippées de part et d'autre du sommet de son crâne, il ressemblait au petit personnage facile à dessiner qui accompagne la formule *Kilroy was here*. Il mit un très long moment à admettre qu'il se trouvait à deux carrefours du garage Pellegrin. Quelle chance incroyable décidément. Mais Georges n'était pas si satisfait. Il était fatigué. La chance, il n'y croyait plus trop pour le moment.

Du fond de son antre, l'homme en bleu devant son établi aperçut Georges qui approchait. Une énorme lunette noire de cyclope sous les yeux, il forgeait quelque chose parmi des gerbes d'étincelles.

– Vous vous souvenez ? demanda Georges. Je suis la Volkswagen bleue.

Pellegrin remonta la lunette sur son front puis il fouilla profondément dans une de ses narines, comme s'il allait y chercher ce souvenir. Il hocha ensuite la tête avec une expression évasive, qui s'accentua lorsque Georges s'enquit du grincement de son véhicule, vous savez, le grincement à l'arrière.

– Pas eu le temps, dit le spécialiste.

Il laissa quand même entendre qu'il avait fait tourner la machine. En effet, cela grinçait. Cela pouvait être grave comme aussi bien ce n'était rien du tout. Il fallait voir, et on verrait lundi en huit. Georges soupira, chercha du regard son humble automobile serrée parmi tant de véhicules ingrats, aveugles et défoncés, contre un mur de terre et de graisse. Il ne l'avait plus vue depuis longtemps. Il la reconnut avec sympathie, avec de l'encouragement ému comme près d'un proche à l'hôpital. Incongrument il lui vint à l'esprit qu'elle ressemblait un peu à son grand-père, du moins l'avant, quelque chose dans l'angle du pare-brise et du capot, difficile à expliquer.

– Au pire, c'est quoi ? demanda-t-il.

– Le couple, répondit sourdement Pellegrin.

– Le couple, répéta Georges interrogativement.

– Le couple, s'obstina l'homme en bleu.

176

– Comprenez-moi, dit Georges à voix basse, ce mot de couple n'a pas de signification pour moi.

– Le pont, si vous préférez. Ce qui fait marcher la voiture, quoi, précisa-t-il en regardant Georges avec tristesse.

– D'accord, mentit Georges, et ça irait chercher dans les combien ?

– C'est tout de suite cinq cent mille balles, fit le mécanicien résolument. Le couple, c'est tout de suite cinq cent mille balles.

Georges frémit puis regarda l'homme en bleu avec confiance, comme s'il ne pouvait s'en tenir là, comme s'il devait annuler l'affreuse nouvelle par un décret mira-culeux, une manifestation de sa bienveillance titanique. Mais non.

– C'est que j'en ai besoin tout de suite, dit absurde-ment Georges. J'ai besoin d'une voiture tout de suite. Vous n'avez plus de 204, comme l'autre fois ?

– Non.

– Rien d'autre que je pourrais prendre, une vieille, pas chère, qui marcherait, rien ?

L'œil inquisiteur de Pellegrin se durcit à cette hypo-thèse hérétique, et Georges crut sa cause perdue. Mais l'autre finit par se tourner, désignant quelque chose au fond de l'atelier d'un geste douloureux.

– Il y a bien ça, reconnut-il.

C'est-à-dire une Opel Kadett vert-de-gris, le modèle à quatre portes ; deux d'entre elles à gauche étaient émeraude. Sa tôle était souvent griffée, piquée de points de rouille, son toit marbré de guano et l'intérieur sentait le chat, les déjections de chat, et il y avait d'ailleurs un chat, étique et tricolore, qui fusa de sous un siège et s'enfuit dans un miaulement rauque, intercepté dans sa déroute par un coup de pied de Pellegrin. Le garagiste portait de solides brodequins ferrés et renforcés, avec un dessus en lourde peausserie de vache à double tannage, teinte noisette, forme fermier deux-pièces sans couture derrière, pied doublé peau, montage extra-souple à double couture sur première cuir et semelles antidérapantes. Il portait aussi un large ceinturon clouté par-dessus son bleu. Il regardait Georges. Georges regardait l'Opel.

Parmi ses possesseurs avait dû compter un dentiste, car il y avait beaucoup de molaires sur le tapis de sol qui craquaient sous le pied comme de fausses perles. Sur l'ordre de Pellegrin, Georges dut convenir qu'il ne manquait pas un bouton au tableau de bord, nonobstant le cendrier au lieu de quoi débordaient des fils électriques rouges, bleus, verts. De même les organes essentiels du moteur, du circuit électrique et de la transmission paraissaient à leur place, les sièges étaient normaux une fois ôtées leurs housses immondes et sur la lunette arrière s'écaillait l'idée qu'Opel défie le temps.

L'homme en bleu actionna le démarreur puis cria un chiffre par-dessus les monstrueux battements de soupapes qui résonnaient comme un paquebot dans l'atelier. Georges cria que c'était cher en désignant vaguement l'absence de cendrier, le capot disjoint, le bruit. Pellegrin cria le même chiffre sans paraître avoir perçu l'objection, et plutôt comme si c'était Georges qui n'avait pas entendu la première fois ; il secouait la tête sans sourire vers Georges, dans le tumulte, poussant sur l'accélérateur dément, il y eut subitement de l'urgence, Georges tira de sa poche un carnet de chèques qu'il agita, d'abord pour que Pellegrin coupe le moteur.

L'Opel tirait un peu à gauche au freinage, au reste elle fonctionnait à peu près normalement et le bruit n'était pas si terrible. Georges rentra dans Paris par la

178

porte de Choisy, rejoignit les maréchaux qu'il suivit vers le nord.

Juste avant la porte de Montreuil, il s'arrêta devant une brasserie nommée le Davout. Il consomma un Spécial Davout avec un ballon, puis descendit au sous-sol de l'établissement. Dans une marge peu fréquentée de son carnet d'adresses, il retrouva un numéro qu'il composa sur l'appareil mural. Pendant que cela sonnait, il déchiffra les inscriptions d'ordre politique et sexuel griffonnées sur les parois de la cabine. On décrocha, il reconnut la voix de Véronique.

Sans se présenter, Georges demanda à parler à Bernard Calvert. D'une inflexion curieuse dans sa réponse – Bernard était sorti, serait là dans une heure –, il déduisit que Véronique avait reconnu sa voix. Il remercia, raccrocha, remonta dans la salle où il commanda un, deux, trois cafés qu'il buvait lentement, posant un regard distrait d'ethnographe en vacances sur le boulevard où se hâtaient lentement, dans leurs véhicules graissés, les salariés processionnaires.

Une heure et dix minutes plus tard, il rappela le même numéro. Bernard Calvert répondit aussitôt ; de la gêne altérait sa voix. C'est moi, Georges, dit Georges, vous savez ? Bernard Calvert dit qu'il était content d'entendre Georges, qu'il voulait depuis longtemps revoir Georges, qu'il fallait qu'on se voie.

– Rien de plus facile, dit Georges. Est-ce que vous pourriez me rendre un petit service ?

– Naturellement, dit Bernard Calvert, bien sûr.

– Cette maison à la montagne dont vous parliez une fois, vous vous souvenez ? (Naturellement, répéta l'autre.) J'en aurais besoin pour quelques jours, pas longtemps, quelques jours.

– Bien sûr, dit Bernard Calvert avec une ferveur

moindre. Evidemment je ne sais pas si ce n'est pas un peu, il y a un, il faudrait que je, ce serait pour tout de suite, là, les jours qui viennent ?

– C'est urgent, dit Georges.

– Eh bien d'accord, céda facilement l'autre, c'est d'accord. On peut se voir dans la semaine ?

– Non, dit Georges, ne quittez pas.

Il lâcha le combiné qui se mit à balancer au bout de son fil en heurtant lentement les parois de la cabine. Georges montait en courant vers la surface du sol, sortait de la brasserie, vérifiait le nom sur l'auvent de toile rayée, redescendait.

– Vous êtes là ? Brasserie Davout, boulevard Davout, facile à se rappeler. Je vous attends. A tout de suite.

Attendez, ho, grésilla la voix de Bernard Calvert, mais Georges avait raccroché. Il regagna sa place dans la salle, demanda encore du café. Il tremblait un peu, son cœur battait vite et fort, il ferma les yeux : Jenny Weltman. Il se redressa comme un ressort, redescendit au sous-sol, Donald avait peut-être trouvé quelque chose ; mais le téléphone sonna longuement pour rien dans l'appartement de Saint-Ambroise. Lorsque Georges fut remonté dans la salle, Bernard Calvert se tenait au bar, une grosse enveloppe en papier bulle posée sur le formica beige et noir devant lui. Leur entrevue fut d'une grande brièveté.

Ensuite Georges marchait vite vers l'Opel, déchirant nerveusement l'enveloppe. Elle contenait les cartes Michelin 77 et 81 qui couvrent le sud des Alpes françaises, avec un plan dessiné à la main : une route traversant un village, un carrefour, un chemin au bout duquel était une croix protégée par un pointillé. Puis deux clefs avec des étiquettes : la grosse ouvrait le pointillé, l'autre la croix. Georges démarra, fit demi-tour,

180

rejoignit le perpétuel périphérique par un système de rues aux noms de peintres impressionnistes bordées de logements sociaux. Le perpétuel était comble, l'esprit de Georges était ailleurs. Lorsque l'Opel s'engagea sur l'autoroute, le soleil brillait, il faisait froid. Georges ne sentait pas le froid. Le système de chauffage était très complexe ou complètement détraqué.

En fin d'après-midi, Georges sortit de l'autoroute du Sud à la hauteur de Beaune. Il réserva une chambre dans un hôtel du centre de la ville, acheta quatre quotidiens qu'il éplucha tout en dînant au restaurant de l'hôtel ; aucun ne mentionnait encore le décès d'un bouquiniste d'Ivry-sur-Seine. Georges s'endormit comme une pierre, quitta l'hôtel à dix heures en dérobant un énorme cendrier publicitaire Noilly-Prat qu'il installa sur le siège près de lui.

On put l'apercevoir ensuite à Grenoble, en train d'acheter de la nourriture et des vêtements dans une grande surface, avec une brosse à dents et une pochette de rasoirs jetables. Il se remit en route. Le soleil allait se coucher lorsqu'il arriva devant la maison de Bernard Calvert. Georges n'entra pas tout de suite dans la maison. Il coupa le moteur, sortit de la voiture et regarda le paysage.

24

Les deux hommes se tenaient face à face, dans une attitude de défi. L'un portait un habit militaire vert et blanc fin XVIIIᵉ, avec une fourragère et une ceinture dorées. Il tenait une main sur sa hanche, de l'autre un sabre en position de parade. Ses cheveux noirs tombaient sur ses épaules. Il pointait un menton arrogant vers son vis-à-vis, un Chinois. Le Chinois portait un bleu de chauffe entièrement boutonné, avec une casquette marquée d'une étoile rouge. Il souriait.

– Je prends celui-là, dit Bock.

Deux gros doigts jaunes de nicotine saisirent le soldat vert et blanc par la tête et le retirèrent de la vitrine.

– Le jeune Bonaparte sur le pont de Lodi, annonça le marchand en posant le sabreur sur une table.

– Belle pièce, dit Bock. Uniforme de fantaisie mais belle pièce.

– Moi, j'aime bien le Chinois, intervint Ripert.

– Du bidon, jugea Bock. Des trucs modernes. Pas du vrai plomb.

– Vous n'avez pas tort, flatta le commerçant.

– Tu vois bien, dit Bock. Vous pouvez me l'envelopper ?

Ripert sortit de la boutique et considéra la devanture de l'extérieur. Du XVᵉ à nos jours s'y trouvaient affrontés toutes sortes de corps d'armée, même un groupe de FFI guettant une escouade nazie modelée au pas de l'oie en grand angle. Le mouvement de la rue se reflétait dans la vitrine et jusque dans les glaces des petites tractions à gazogène camouflées vert et brun, une croix de Lorraine en blanc sur la portière.

Bock sortit à son tour, l'air content de lui. Il faisait sauter son paquet dans sa main.

– Tout ton fric y passera, prophétisa Ripert.

– Qu'est-ce qu'on fait ? demanda Bock.

– On reste là. Il va venir. Voilà, je crois que c'est lui.

Costume épinard, cravate olive brodée d'infimes clubs de golf, c'était bien lui. Il approchait lentement. Il s'arrêta devant la boutique de soldats de plomb, l'examina sans un mot.

– Monsieur Shapiro ? s'approcha Ripert.

– Oui, dit Fred, c'est moi.

– Ripert, dit Ripert, enchanté. C'est moi qui vous ai appelé hier de la part de Roger. Bock.

– Enchanté, dit Bock.

Fred remua la tête, puis Bock lui demanda s'il avait des nouvelles récentes de Georges Chave. Fred répondit qu'il n'avait plus parlé à son cousin depuis bientôt dix ans ; c'était vrai. Qu'il ne savait plus rien de lui ; c'était faux. Qu'il aimerait bien savoir ce qu'il devenait ; ce n'était pas faux.

– Il vous cause des ennuis ?

– Il a fait du mal à mon collègue, dit Bock, regardez. Et puis il a disparu.

Ripert tirait sur le col de son polo pour faire admirer ses bandages.

– Je vois, dit Fred. Il est dangereux.

– Très dangereux, confirma Ripert. Où est-ce qu'on peut se mettre ?

Dans un café très sommaire au coin de la rue : un bar, huit tables, personne. Derrière le bar, la femme qui rinçait les tasses avait de grands yeux tristes et de longs cheveux gras, des lèvres maigres entre des parenthèses de poil. Ils lui commandèrent des eaux minérales. Vous m'excusez un instant, dit Fred en se levant. La cabine téléphonique était repeinte de frais mais une main avait déjà écrit en rouge *Mardi 6 j'étais là avec ma femme*.

– Qu'est-ce que c'est que cette histoire ? demanda Fred. Il paraît que Georges a disparu ?

– Vous savez déjà ça ?

– Ne t'occupe pas, dit Fred. Les flics, tu les avais bien prévenus ? Tu en es sûr ?

– C'est mon métier de prévenir les flics, rappela Briffaut d'une voix digne. C'est quelque chose que je sais faire, voyez-vous, je sais quand je le fais. J'ai appelé comme prévu, oui, ils sont partis tout de suite, ils auraient dû tomber au bon moment. Mais voilà, ils n'ont pas pu l'arrêter, le cousin. Il paraît même qu'il leur a tiré dessus.

– C'est incroyable, dit Fred. Ça ne lui ressemble pas.

– C'est allé, avec votre oncle ? Tout s'est passé comme vous vouliez ?

– Tais-toi, dit Fred.

– Pardon, dit Briffaut.

– C'est incroyable, répéta Fred. Renseigne-toi, tâche de savoir où il est. Je vais en parler aux types de chez Benedetti.

– Je ne savais pas que vous les connaissiez.

– Que tu es hypocrite, Roger, dit Fred d'une voix lasse. Que tu es duplice.

– Ça vous arrange bien quelquefois, jeta l'indicateur avant que Fred eût raccroché.

Il sortit de la cabine avec une ombre sur le visage. Pourquoi est-ce que je les tue comme ça. Ces vieillards, pourquoi les achever. Bock et Ripert échangeaient des mimiques et des mots à voix basse, qu'ils interrompirent sans art à son arrivée.

– Messieurs, je suis inquiet, déclara-t-il se rasseyant.

Les agents de contentieux haussèrent vers lui des regards revenus de tout.

– Je le connais, poursuivit Fred, c'est mon cousin. Je sais ce dont il est capable. Il vous fait des ennuis, je veux vous aider. Mon action est désintéressée, vous reprendrez bien quelque chose.

– On est pressés, dit Bock, on n'aura pas le temps.

– Mais enfin, Martial, protesta Ripert, bien sûr que si qu'on a le temps.

Fred fit amener des bières supérieures.

– Vous connaissez sa femme ? demanda-t-il. Il en a une, d'abord ?

– On l'a vu une fois avec une fille, dit Ripert, tu te souviens ? Une brune cheveux courts, pas mal.

– Oui, fit Bock, peut-être.

– Ça n'est pas compliqué, hein, rappela Fred. Il suffit de trouver la femme, c'est toujours pareil.

– On verra, dit Bock, on verra.

– S'il est dangereux, il faut le retrouver. J'aimerais que vous le retrouviez. Je peux payer pour ça.

– Mais pourquoi vous nous dites ça, demanda Bock. Vous êtes qui, au juste ?

Quarante minutes plus tard, Fred Shapiro était assis dans le noir, comme cela lui arrive souvent. Sous ses yeux, en trois dimensions, assis sur une chaise, un homme coiffé d'une casquette de toile bleue parlait à une jeune femme blonde vêtue de blanc, debout derrière lui.

– Ma chère femme, disait l'homme, vu l'état de nos finances, j'ai résolu aujourd'hui d'acheter un poisson. J'estime qu'un commissionnaire peut s'accorder ça, un commissionnaire qui ne boit pas, qui fume à peine, qui n'a pour ainsi dire aucune passion. Alors, c'est un gros poisson que j'achète, ou bien en veux-tu un petit ?

– Un petit, répondit la femme.

– Ça ne va pas, cria une voix.

Les yeux de Fred s'étaient accommodés à la pénombre c'était un petit homme brun de trente-cinq ans qui venait de crier, porteur d'une veste en tweed feuille morte. Son visage était maigre, plissé autour des yeux, avec quelque chose de mélancolique et d'obscène dans le regard, comme un chien abandonné en rut. Il était assis au milieu du troisième rang, il n'y avait presque personne dans la salle. Il agitait les bras :

– Tu dis un petit comme si tu regrettais qu'il soit petit, comme si tu te résignais à ne pas en avoir un gros. Pas du tout. Tu dois dire un petit parce que c'est précisément un petit que tu veux, pas un gros. Tu aimes les petits poissons, tu comprends, pas les gros. C'est surtout cette idée qu'il est petit qui te plaît, tu comprends ça ?

– Mais ça ne veut pas dire ça, Michel, dit la jeune femme.

– Mais je me fous de ce que ça veut dire, s'exaspéra le petit homme, tant mieux si ça ne veut pas dire ça, comme ça c'est moi qui le dis. Est-ce qu'il y a moyen, merde est-ce qu'il y a moyen.

La jeune femme blonde quitta la scène.

– Reviens, glapit le scénographe. Ça va, bon, d'accord, reviens.

Elle réapparut par une porte étroite qui accédait latéralement à la salle, et qui déversa un bloc rapide de lumière terreuse sur son passage. Elle gravissait d'un pas décidé la pente douce menant vers la sortie entre les rangées de fauteuils. Hep, fit doucement Fred. La jeune femme s'arrêta, chercha Fred du regard puis elle sourit, s'engagea dans la travée, vint s'asseoir près de lui.

– Bon, maugréait l'homme en contrebas, on essaie le quatre.

– Il est con, ce type, chuchota la jeune femme.

– Il n'a pas complètement tort, remarquez, chuchota Fred en retour. C'est vrai que s'en tenir au texte, à la longue, c'est un peu toujours pareil.

– Vous n'allez pas vous y mettre, sourit-elle un ton plus haut. Mes amis vous ont donné satisfaction ?

– Parfait. J'ai toujours un emploi pour eux, d'ailleurs. Mais c'est surtout vous qui avez fait du bon travail.

– Avec le cousin ?

– Oui, dit Fred. Oui, c'est mon cousin.

– Il a l'air gentil, ce cousin.

– Le quatre, réclamait le petit homme d'une voix haineuse et patiente.

– Ne parlons pas de lui, dit Fred, parlons de vous.

– Allons-nous-en, proposa Jenny Weltman.

Ils se levèrent. Une femme en noir venait de plonger sur scène.

– Bonjour, messieurs les militaires, s'écriait-elle. Je suis la veuve Begbick, et ça c'est mon wagon-bar. Accroché à tous les transports militaires, il roule sur toutes les voies ferrées de l'Inde, et comme il vous offre du whisky à boire, et vous transporte de la façon la plus confortable, on l'appelle le « Begbick-wagon-bar », et chacun sait de Hyderabad à Rangoon qu'il a servi de refuge à plus d'un soldat mortifié.

Elle reprit son souffle. Ils étaient remontés vers les portes battantes percées de hublots bleus.

– J'aurai peut-être encore quelque chose pour vous, dit Fred après qu'ils furent sortis. Quelque chose de plus stable.

25

Il existe un tableau de Caspar David Friedrich nommé *La grande réserve* qui représente une partie de la réserve d'Ostra, au nord-ouest de Dresde, sur la rive sud de l'Elbe, en 1832. Le fleuve est bordé d'arbres agglutinés sur la gauche en orée, tachant à droite l'arrière-plan au flanc d'une longue colline lointaine ; ensuite vient l'horizon, enfin le ciel, principalement le ciel, un énorme volume de ciel froid qui envahit la moitié du tableau jusqu'à paraître émaner de lui, s'interposer entre l'œil et lui.

A première vue, depuis la maison de Bernard Calvert, le paysage que surplombait Georges ne ressemblait en rien à celui d'Ostra. Puis c'était l'air, une monstrueuse capacité d'air glacé comme en perpétuelle expansion qui rappelait l'espace de la grande réserve, avec aussi le soir, après les couchers de soleil, des premiers plans de vert et de brun éteints.

Il faisait donc froid, trop froid pour qu'il y eût de la neige. C'était un paysage sec plaqué d'herbe rase, usée aux angles comme les coudes d'une vieille veste, broutée par des bêtes patientes, et où des lames de roche grise et gris-jaune affleuraient. Le regard de Georges basculait vers une vallée en entonnoir au fond de laquelle un petit lot compact de toits gris se laissait traverser par le fil clair d'une départementale, comme un bijou par sa chaînette, et au-delà s'élevait une haute montagne, très éloignée mais très nettement distincte comme si l'immense air pur formait une loupe, une sorte de loupe précisant extrêmement chaque détail sans pour autant le grossir. Des lambeaux de neige perpétuelle couvraient les hauteurs de la montagne ainsi qu'un drap déchiré, frangé, avec çà et là des marques charbonnées par un blanchisseur fou.

Georges s'installa dans la pièce principale de la maison, un volume blanc rectangulaire percé d'une longue fenêtre donnant sur la vallée. Il y avait sur les murs quelques images multicolores jaunies, quelques livres sur des rayons qui étaient surtout des ouvrages pratiques consacrés aux plantes, aux animaux des champs, à la cuisine au beurre. Il y avait aussi un vieux poste de radio Blaupunkt qui crachotait des programmes imprécis de variétés françaises ou italiennes, un tourne-disque portatif revêtu d'écossais et même un téléphone que Georges découvrit non sans perplexité comme un intrus dont il faudrait s'accommoder, une sorte de passager clandestin. Georges enferma l'appareil au fond d'un placard, sous une pile de couvertures d'appoint ; le fil empêchait la porte du placard de se fermer tout à fait.

Une fois visitées, Georges n'entra plus dans les autres pièces de la maison, deux chambres sobres d'hôtel d'altitude. Dans un réduit attenant à l'une d'elles, il découvrit en revanche des instruments de musique, une contrebasse à cordes défoncée et un saxhorn baryton dont l'embouchure oxydée laissait sur les lèvres un goût de cuivre sucré, tenace. Dans la cuisine, des Tupperwares contenaient des pâtes et du riz ; un pain de sucre était jonché de fourmis mortes telles des dépouilles d'esclaves aux flancs d'une pyramide. Georges se laissa glisser dans l'Opel au point mort jusqu'au village. Il n'y avait là qu'une petite épicerie tenant également lieu de débit de pain, de bureau de poste et d'arrêt des cars, accessoirement de café ; on y trouvait du savon, des conserves, quelques accessoires de ménage robustes, primitifs, aux soudures apparentes, du butane et du scaferlati.

Georges poussa la porte, et une clochette au battant en os produisit un bêlement grêle au-dessus de lui. Cela sentait un peu la grange, l'étable, la nourriture un peu moisie ; un tortillon gluant pendait, cimetière des mouches de l'été passé. Au bout d'un moment, une femme aux pommettes rouges et aux manches retroussées apparut dans un cliquetis de rideau de perles, escortée d'un petit chien mou, gras, cylindrique, un rosbif ressuscité aux larges oreilles pointues saillant de part et d'autre de son crâne comme des ailettes de torpille. Georges acheta des vivres pour quelques jours, de la bière et du vin dans des litres poussiéreux.

Un peu plus tard, l'ennui guettait encore ; il n'y avait rien à faire. Georges traîna la contrebasse hors du cagibi. Le coffre était humide et collant, les cordes pendaient le long de la touche ainsi que des spaghetti trop cuits, ponctuées de flocons irréguliers de poussière grise comme de la neige sur les fils électriques ; tassées autour des mécaniques en nœuds de rouille grasse. Il entreprit d'accorder l'instrument en s'aidant du téléphone, la tonalité pour diapason. Au fond du réduit, dans une longue boîte maigre, il découvrit même un archet auquel tenaient une vingtaine de crins, avec un petit morceau de colophane appétissant au teint de bergamote.

Georges se mit à jouer, debout dans le soleil qui tombait de la fenêtre, s'exerçant d'abord à sonoriser le paysage : vent dans les branches, troupeaux, tracteurs en pizzicato, chants d'oiseaux à l'archet. Puis il voulut

191

reproduire des mélodies qu'il se rappelait, puis il fit des gammes et des arpèges, travailla le blues dans deux ou trois tonalités.

Trois jours passaient. Sa barbe poussait vite. Vêtu d'un slip et d'une paire de lunettes noires, il jouait interminablement dans le soleil de la fenêtre, le chauffage à fond derrière lui, collé au sarcophage bourdonnant comme contre une femme, l'éclisse éventrée au creux de l'aine, essuyant parfois son visage ruisselant, sa poitrine et ses aisselles ruisselantes avec une serviette suspendue à la crosse ; la fumée d'une cigarette coincée dans les mécaniques montait se tordre autour de la volute au faîte de l'engin. A force de tirer sur les cordes, de grosses ampoules blanches se formaient au bout de ses doigts, virant au rouge lorsqu'il jouait trop longtemps, elles éclataient, il en sortait de l'eau, du sang.

La nuit, il rêvait énormément : de chacals, d'outres pleines de sable, de geysers et de bulldozers ; une nuit, il rêva d'un bulldozer ; il était lui-même un bulldozer ; il se conduisait comme tel. Ensuite il s'éveillait, dressait l'instrument, jouait, préparait une nourriture rapide. Mangeait, jouait encore, presque sans cesse jusqu'au moment d'aller dormir, avec une brève interruption pour le dîner. S'allongeait parfois pour prendre un peu de repos, une bouteille de bière à la main, la tête renversée, buvant maladroitement, et le liquide se répandait sur lui, formait des mares pétillantes au creux des clavicules et du nombril, et tout cela aurait pu se poursuivre pas mal de temps car Georges ne craignait plus l'ennui ni même la solitude. Mais il y eut justement de la visite.

26

Crocognan arriva le premier. Pour distraire Georges, il avait amené avec lui un téléviseur portatif qui ballottait au bout de son bras comme un petit carton de pâtisserie. Il s'était assis dessus, posant sur Georges son regard d'éléphant surmené ; il expliqua la situation d'une voix sourde, par phrases brèves. Pendant que Donald s'élançait à la recherche de Jenny Weltman, lui, Crocognan, avait surveillé les adjoints de Benedetti. Ceux-ci étaient remontés jusqu'à Bernard Calvert, trop peu rompu sans doute aux interrogatoires pour leur dissimuler longtemps ce qu'il savait de Georges. Crocognan avait ensuite interrogé lui-même Bernard Calvert, puis il avait roulé d'une traite jusqu'ici à bord d'une puissante BMW grise – ce qui se vole le mieux, laissa-t-il entendre en désignant le gros véhicule neuf par la fenêtre. Bock et Ripert ne tarderaient sans doute pas à se présenter dans la région, mais l'homme fort était là, maintenant, pour défendre Georges.

Georges acquiesça, puis désigna la contrebasse couchée sur son flanc. Ah, musique, fit Crocognan. Oui, dit Georges. Il alla chercher le saxhorn dans le réduit. Qu'est-ce que tu en penses. L'homme fort fit allusion à une lointaine fanfare, dans une lointaine armée. Deux heures plus tard, ils avaient passé l'instrument au Miror, graissé les pistons, étanché l'embouchure avec du liège et du carton, puis s'étaient accordés. L'hercule parvint à tirer rapidement quelques notes du saxhorn, à retrouver des gammes, et toute la journée fut consacrée à mettre en place l'exposition de *What's new*, debout l'un en face de l'autre devant la fenêtre. D'un geste suivi d'un grognement, Crocognan s'était plaint du soleil et de n'avoir plus de chapeau, il tendit sur son crâne un mouchoir vert noué aux quatre coins. Le soir, ils essayèrent de regarder un film à la télévision, mais ils se désintéressaient de l'intrigue ; ils coupèrent le son, reprirent leurs instruments, commentèrent l'image floue en grattant et soufflant une musique primitive. Et puis il y eut un bruit de moteur dehors, aux deux tiers du film, ils se turent aussitôt, le moteur s'arrêta.

Crocognan bondit vers la porte, brandissant le cuivre comme une arme. On frappa, on ouvrit sans attendre de réponse : Bernard Calvert apparut, un sac de voyage à la main. Georges voulut présenter l'homme fort au propriétaire de la maison. On se connaît, grommela Crocognan. Bernard Calvert évitait le regard du géant. Ils mangèrent des œufs, se répartirent les chambres. Ça n'allait pas, ça n'allait plus très fort avec Véronique, avoua Bernard Calvert le lendemain matin. Il avait voulu changer d'air. Il ne dérangeait pas, au moins ?

— Pas du tout, dit Georges, mais c'est qu'il peut y avoir du danger, ici.

— Quoi, ce type ?

Crocognan était descendu au village pour acquérir de quoi faire un gâteau.

— Non, dit Georges, d'autres types. Ceux qui sont venus vous voir, vous savez.

— Ah oui, fit l'autre, je suis désolé, je n'aurais pas dû leur dire.

— Ça ne fait rien, de toute façon il y en a d'autres encore. On va bien voir.

L'homme fort revint avec du kirsch fantaisie et un assortiment de fruits confits. Il s'affaira un moment dans la cuisine, puis on se remit à jouer. Bernard Calvert s'était associé à l'orchestre, roulant deux branches taillées sur une valise vide couverte d'un journal, c'était un trio presque orthodoxe. Le soir, on but pour célébrer les quarante-trois ans de Crocognan.

Le lendemain matin, ils allèrent chercher du bois mort en amont. En traversant les prés, des bouquets de sauterelles explosaient en silence sous leurs pas, bleu vif, rouge vif, avec de gros criquets vert pomme. Crocognan captura une sauterelle, l'insecte se débattait entre ses doigts comme un petit ressort vivant dans une prison de pneus ; le géant lui arracha une patte, la goûta, fit une moue, laissa l'animal rebondir de son mieux. Et l'après-midi ils redescendirent au village, firent des achats chez l'épicière qui leur servit du café plein d'eau en réserve sur un poêle. Par la petite vitrine, tournant leurs cuillers dans leurs tasses, ils regardaient défiler le petit trafic : des hommes à la peau brune et aux yeux clairs sur des tracteurs rouges, des 403 et 404 commerciales avec des brins de paille coincés dans leurs portières bosselées, des plaques minéralogiques peintes à la main et fixées par du fil de fer aux pare-chocs ; l'autocar rouge et bleu de dix-sept heures ramenant des fils d'agriculteurs du collège le plus proche, des femmes d'agriculteurs parties acheter de solides vêtements de rechange ; un marchand d'électroménager en tournée de service après-vente ; parfois un long camion italien ; en fin de semaine, de petits coupés nerveux ou de gros breaks familiaux immatriculés au bord de la mer.

Comme dix-sept heures s'égrenaient au carillon westminster, se profila précisément le fuselage de l'autocar qui vint freiner à hauteur de l'épicerie, de l'autre côté de la rue. C'était un assez vieux véhicule de la firme Chausson, au gros corps bleu barré de flèches rouges, un assez vilain véhicule aux vitres sales, aux phares louches, aux chromes éteints. Par mimétisme ou choix mutuel, son chauffeur était également laid, rouge, strabique et vêtu d'une blouse bleue souillée de traces noirâtres et blanchâtres. La portière du car s'ouvrit dans un gros soupir d'air comprimé. D'où se tenait le trio, l'engin paraissait vide. On était mercredi, les enfants aidaient leurs parents à la ferme, les plus petits regardaient les feuilletons japonais de la télévision. Un temps, puis la portière se referma dans un nouveau flatus plaintif, et l'autocar s'ébranla comme un vieux pachyderme poussé vers le bout de son rouleau, un vaste cimetière d'autocars – démasquant aux yeux des trois hommes la petite place meublée d'un marronnier, d'une borne-fontaine et d'un panneau indicateur, un instant tramée de poussière grise à travers quoi, tournée vers eux, Véronique se tenait avec une valise. Elle traversa la rue.

– Me voilà, dit-elle. J'en avais assez d'être seule.

On sourit avec plus ou moins de contrainte, on se dit qu'il y aurait un problème de répartition des chambres, on se demanda si Véronique savait chanter, peut-être qu'elle pourrait chanter, Georges ne se rappelait pas l'avoir entendue chanter. On regagna la villa Calvert puis on disparut vers les hauteurs à la recherche de nouveau bois de chauffage, laissant Véronique se reposer dans le living.

Elle inspecta les lieux : la cuisine, la salle d'eau, les chambres. Elle n'avait pas envie de se reposer, elle se demanda ce qu'elle pourrait faire.

Bock se posait la même question au même instant, le dos collé au mur près de la fenêtre. Il venait d'arriver. Il avança prudemment son nez pour découvrir derrière

196

la vitre cette jeune femme debout, bras croisés, au milieu de cette grande pièce. Il s'accroupit pour passer au-dessous de la fenêtre, longea le mur jusqu'à la porte d'entrée, respira profondément, puis il tira une arme de la poche de son veston.

Comme tout le monde autour de lui s'était moqué du Manufrance, Bock s'était décidé à acquérir quelque chose de plus sérieux – à savoir un Colt .45 automatique, Government Model 1911, arme parfois discutée, souvent imitée, jamais égalée. Parmi les outils de ce type que lui avait proposés un armurier de la rue Réaumur, Bock avait opté pour un modèle commémoratif, un pistolet de collectionneur plutôt que de praticien. Des macarons ornés de l'aigle américain décoraient les plaquettes de crosse, et une scène de la bataille de Château-Thierry (juillet 1918) était finement gravée sur les glissières : à l'extrémité du canon, camouflée sous un arbuste derrière des sacs de sable, une escouade d'Américains casqués guette l'ennemi posté sur l'autre rive de la Marne, juste au-dessus du pontet. Par un aimable effet d'abyme, l'officier qui surveille à la jumelle les mouvements de troupes adverses porte lui-même un Colt 1911 au ceinturon. Devant lui, trois soldats allongés se tiennent prêts à agir : l'un manipule un téléphone de campagne, l'autre braque une mitrailleuse sur Château-Thierry envahi et le troisième ne fait rien, son menton est posé sur sa main, il songe à sa fiancée qui l'attend à Saint Cloud, Minnesota.

Martial Bock n'avait pas l'intention d'utiliser cette arme, du moins sous l'angle balistique. Il ne tablait que sur sa force intimidante et n'avait même pas défait le cran de sûreté au-dessous du chien. Posté devant le seuil, il hésita un peu ; il n'était pas sûr de sa méthode. Comme il eût été simple d'entrer sans façons, d'un coup de pied dans la porte, de dire à cette femme trois mots d'une voix fatiguée, en américain, et que de tremblants sous-titres vermiculaires vinssent s'étaler à ses pieds pour faire comprendre ce qu'il voulait. Mais il se fit une raison, se décida, ouvrit la porte normalement. Véronique se tourna vers lui.

— Vous ne bougez pas, vous ne dites rien, fit Bock nerveusement. Vous ne criez pas, surtout. Vous venez avec moi.

Il agita son canon ciselé, déposa sur la table un bout de papier plié. Véronique sortit de la maison et s'engagea dans le chemin qui rejoignait la route, Bock derrière elle se retournant sans cesse. A deux cents mètres, Ripert attendait au volant d'une Talbot Horizon blanche. Bock fit monter Véronique à l'arrière de la voiture, prit place à côté d'elle.

— On peut y aller.

Ripert mit le contact et le démarreur de la Talbot toussa longuement, cessa de tousser pour tousser encore, à plusieurs reprises, en vain, jusqu'à ce que la batterie manifestât des signes de lassitude. Ripert se tourna vers Bock.

— Il va falloir pousser, fit-il d'une voix troublée.

Bock sortit de la voiture en soupirant et remisant le Colt au fond de sa poche, puis il se mit à pousser. Le moteur émit une ou deux explosions sèches et blanches avant de caler. Véronique jeta un coup d'œil sur le levier de vitesses enclenché en première. Passez plutôt la seconde, conseilla-t-elle, ça partira plus facilement. Ripert sursauta, jeta un regard indécis vers la jeune femme, obtempéra. Bock se remit à pousser et la Talbot finit par démarrer, cahota malaisément dans le chemin étroit, disparut au premier tournant.

27

Les trois hommes reparurent, des souches et des bûches et des brindilles plein les bras. Ils déposèrent le combustible dans une remise, rentrèrent dans la maison, et ce fut Bernard Calvert qui découvrit le message que Bock avait laissé pour Georges. Il le lut, le fit lire à son destinataire, puis Crocognan considéra longuement le bout de papier. Si vous voulez revoir la jeune dame, était-il écrit en petites lettres pointues, prenez la D 605 jusqu'à la N 12 et roulez vers le sud. Soyez seul. La nuit tombait.

Georges partit donc seul dans la matinée du lendemain. Il faisait froid, les villages étaient clairs. Enneigés pendant une longue partie de l'année, l'été les avait ensuite découverts d'un jaune et d'un gris pâles, comme déteints par toute cette blancheur fondue puis séchée sur eux, et les paysages étaient aussi à dominante de paille et d'ardoise délavées, avec des pentes aiguës de terre fuyante que des lots de sapins stabilisaient. Des arcs de roche noire imprimée d'ammonites enjambaient parfois la route, en contrebas de laquelle courait une eau verte, rapide, nerveuse, mince, glacée comme un serpent.

Un moment, entre deux bourgades, Georges s'arrêta devant un baraquement de restauration qu'annonçaient de loin des panneaux peints à l'évidence par un amateur. Le parking était vide, trop grand, revêtu de mâchefer et de gravats. Lorsque Georges ressortit du baraquement, ravivé par un grand café, il y avait une 2 CV camionnette garée à côté de l'Opel. Un type blond et maigre, avec des lunettes à monture sécurité sociale, était installé au volant près d'une femme plus âgée au visage fermé. Le type sortit de sa voiture comme Georges approchait de la sienne.

– Vous avez vu ? fit le type en désignant un point par terre au-dessous de l'Opel. Vous ne pourrez pas rouler comme ça longtemps.

Une tache sombre s'étalait sous la voiture, aussitôt bue par le gravier. Georges ouvrit le capot, et le type blond regarda par-dessus son épaule un goutte-à-goutte de lubrifiant qui suintait lentement mais résolument du carter, comme une vie quitte un corps par battements. Puis cela s'accéléra : une colonne immobile d'huile noire reliait bientôt le véhicule au sol.

– Vous n'allez pas pouvoir rouler comme ça du tout, observa le type.

Georges contempla le véhicule sans répondre, les mains enfoncées dans ses poches. Puis il se tourna vers la route, dont il parut étudier longuement les lignes de fuite. C'était dans des cas comme celui-ci qu'il aurait fini par s'habituer à voir surgir Crocognan pour arranger la situation, mais il avait justement dissuadé l'homme fort de venir avec lui.

– On peut vous mener à un garage, proposa le type en agitant son pouce. Il y a un garage par là-bas, dix kilomètres à peu près. On peut tirer la voiture jusque-là. Vous avez une corde ?

– Non.

Il n'avait pas de corde. Il n'avait pas assez d'argent pour faire réparer la voiture. Il ne voulait pas rester seul au bord d'une route des Alpes, à attendre on ne sait quoi. Il remua la tête. Non, répéta-t-il sur un plan plus général, comme s'il opposait son refus à l'ensemble de la situation.

– On peut vous mener quelque part.

– C'est ça, dit Georges. Menez-moi quelque part.

Et il se trouvait donc un peu plus tard assis à même la tôle, cahotant à l'arrière d'une Citroën inconnue menée par des inconnus vers un but inconnu, sur une route nationale. Personne ne s'exprimait sauf la femme âgée qui se retourna un moment vers Georges et lui dit nous passons par le temple, un petit détour. D'accord, dit Georges. Eût-elle dit nous passons par la mer, par la morgue, par la Suisse, Georges eût pareillement dit d'accord ; il était un peu absent de lui-même. Ils abandonnèrent la nationale pour une voie étroite, coudée, qui montait fort et dont les accotements se délitaient. Il y eut un panneau triangulaire avec une silhouette d'animal sauvage dessus, puis un troupeau d'ovins ralentit la voiture un temps. A gauche, des plants de lavande ponctuaient régulièrement un triangle de terre rouge comme de gros boutons sur un gilet. Ensuite une dépression sur la droite s'approfondit en ravin, l'autre côté de la voie se bordant bientôt d'une paroi de schiste abrupte. De l'arrière de la camionnette, Georges ne pouvait distinguer ni le sommet de la falaise ni le fond du ravin.

– Voilà le temple, dit la femme.

Cela n'avait pas tellement l'air d'un temple. C'était une sorte de petit château hispano-moresque avec une façade à fronton couronnée d'une fraise de tuiles, flanquée de clochetons. Les fenêtres étaient exiguës, bouchées par des moucharabiehs, et le portail était un buisson de fer forgé touffu. Tout cela ocre et blanc, avec des filets de rose et de vert sorbetiers.

Devant l'édifice, des bacs en bois contenaient des arbres morts d'une espèce inhabituelle. Beaucoup de plantes mortes étaient d'ailleurs visibles alentour, toute une flore dont ce n'était pas le climat se décomposait là, à moins que l'agave buriné près du portail ne fût pas encore tout à fait sa propre momie. Au-delà, des sapins pleins de santé se démarquaient de ce décor d'un autre ciel, comme détonnerait un chalet suisse parmi les arbres à pain, un igloo dans les bougain-villées.

La maison était adossée à la falaise de schiste noir, qu'elle devait même pénétrer intimement puisqu'on apercevait au-dessus d'elle quatre ou cinq fenêtres iné-gales taillées dans le mur de pierre, une baie, une meur-trière, un œil-de-bœuf grillagé. Personne n'était visible, il n'y avait rien que cette maison, avec son cimetière végétal devant elle. La falaise se prolongeait vers l'est jusqu'à s'amalgamer aux contreforts d'une montagne proche, se décrochait brutalement en mâchoire à l'ouest pour dévoiler une autre montagne proche, entre l'herbe rase et le ciel gris béant. Vitres ouvertes, une lame de vent acéré traversait la voiture qui vint se garer devant le portail. On descendit. On se dirigea vers la porte d'entrée, que le type blond poussa pour laisser entrer Georges en premier. Le hall était humide et noir, comme si l'on accédait tout de suite à l'intérieur de la falaise, Georges avança, se retourna subitement vers le type :

– C'est la maison Ferro, non ?

Alors la femme âgée dit quelque chose que Georges ne comprit pas, et Georges perçut un choc violent porté par-derrière sur son épaule, et Georges cria et reçut un autre coup plus violent juste au-dessus de la nuque, et tout l'univers se réduisit à un point de lumière blanche très vive, qui irradia un instant l'espace obscur autour d'elle puis disparut avec lenteur, il y a certains téléviseurs qui font comme ça quand ils s'éteignent.

28

Georges est ligoté à un pilier, au beau milieu d'une steppe sans horizon. On entend une musique étouffée dans le lointain, dont le dernier accord se dissipe brièvement comme la fumée d'une allumette, puis d'affreux craquements retentissent sur la gauche. Georges tourne la tête, aperçoit un dragon qui progresse rapidement vers lui. Le dragon est deux fois grand comme Georges. Il a un bec, des ailes, des griffes, un regard stupide, il croasse horriblement, on dirait un poulet préhistorique ; sa couleur est de cendre et d'os. Il arrive et se penche vers Georges, qui comprend que ce poulet veut lui brouter le crâne. Georges veut crier, mais sa bouche ne rend aucun son. Il s'agite vivement dans ses liens, ouvre les yeux. La pièce est beige et grise, avec des rideaux bruns tirés, une petite lampe jaune, des tableaux beiges et gris sur les murs. Un des tableaux représente un homme dans une rue, son ombre plus longue que lui couchée à ses pieds dans la position de midi vingt.

Une femme était en train de regarder ce tableau, elle tournait le dos à Georges qui reconnut en elle la femme âgée, sans doute la mère du grand type blond, et Georges était couché sur le dos, ses poignets et ses chevilles retenus par des menottes aux montants d'un grand lit de cuivre. Il tourna encore la tête à gauche et découvrit Véronique allongée près de lui, attachée comme lui. Elle paraissait dormir. La femme âgée se retourna, Georges refermâ les yeux, parut dormir également. Le poulet n'était plus là. Georges entendit la femme s'approcher du lit, respirer un instant au-dessus d'eux, déplacer sur une table de nuit des objets en verre et en métal, sortir en verrouillant la porte, décroître.

– Je ne dors pas, dit Véronique à voix basse.

– Moi non plus.

Il n'y avait plus d'autre bruit derrière la porte mais ils parlèrent doucement, elle d'abord : Bock et Ripert avaient voulu la séquestrer dans un meublé dérisoire visiblement loué à la hâte, et d'où elle aurait pu s'enfuir comme elle voulait ; simplement, elle n'avait pas eu le temps. Au milieu de la nuit, deux hommes avaient en effet surgi dans la chambre où se relayaient les agents de contentieux, un athlète pâle et un brun sec genre italo-américain (je vois, dit Georges). Ils avaient d'abord paru de mèche avec Bock et Ripert, puis il y eut une obscure altercation entre eux quatre, et les visiteurs étaient finalement repartis en emmenant Véronique. Quelque chose s'était sans doute ensuite passé qui ne s'était pas inscrit dans sa mémoire, et elle s'était réveillée sur ce lit, puis rendormie, puis de nouveau réveillée, découvrant Georges près d'elle. Et ensuite ils parlaient du temps où ils vivaient ensemble, et ce temps leur semblait très lointain, historique, presque confit à l'état de mythe, alors qu'il n'y avait pas un mois de cela derrière le Cirque d'Hiver.

La porte s'ouvrit, Barrymore entra suivi de Baptiste. Sans un mot, les deux hommes libérèrent Véronique et Georges de leurs entraves puis entraînèrent ce dernier vers la sortie, laissant la jeune femme enfermée dans la pièce. Georges les suivit : encore du couloir, des marches à monter, à descendre, des paliers et des portes latérales. A mi-parcours, on s'arrêta dans une pièce étroite qui ressemblait à une sacristie, et où Georges fut en effet revêtu d'une sorte d'aube, col et poignets boutonnés. C'était naturellement Béatrice qui tenait le vestiaire ; pas plus que les deux autres elle ne fit mine de reconnaître Georges.

Lequel se retrouvait ensuite assis sur une espèce de chaise curule, au milieu d'une petite foule silencieuse tout habillée de blanc, tournée vers un rideau fermé. Quatre hommes glabres serraient Georges de près, le surveillant du coin de l'œil ; ils paraissaient obtus et impulsifs.

C'était une salle ronde assez vaste et disproportionnellement haute, dont le cintre se poursuivait en galerie verticale plus étroite vers le jour, constituant un espace en forme de bouteille de bordeaux. Ce cylindre d'air serré dans le rocher, au cœur de la falaise, se prêtait évidemment mieux à la tenue d'une cérémonie que l'ancien atelier d'abat-jour de la rue Amelot. Loin dans la hauteur, à travers la vitre épaisse scellée à la base du goulot, Georges aperçut un disque de ciel traversé par un nuage en forme de mégot. Le rideau blanc, face à l'assemblée, formait un rectangle net comme une page. Il ne bougeait pas. Personne ne bougeait. Puis il s'ouvrit d'un coup, comme la page se déchire, dévoilant l'appareil scénique habituel : un lit où reposait un corps dissimulé, un petit orgue Farfisa, deux trépieds supportant la marmite et le seau derrière lesquels se tenaient le masseur et le masque.

— Rayon majeur, invoqua le masque. Rayon septième.
Georges reconnut la voix de Fred.
— Passe le soleil vers nous, répondit en chœur l'assemblée.
— Loués soient les sept noms, proféra un incontrôlé. Baxter, Deshnoke.

– Tout à l'heure, tout à l'heure, fit le masque avec un geste. Plus tard.

– Abercrombie, Severinsen, Crabol, s'obstinait le zélote.

– Martini, Dascalopoulos, acheva le masque d'une voix patiente. Loués soient-ils, ils sont parfaits. Nous y reviendrons.

Par les trous pratiqués dans le masque, Georges n'arrivait pas à distinguer les yeux de Fred.

– Frères et sœurs, poursuivit celui-ci, c'est un jour pour nos cœurs et nos fronts. Voici le huitième nom prévu par les sept autres. Il va se manifester. L'instant est fort. A cette occasion, nous sacrifierons un volontaire, ajouta-t-il en pointant un doigt vers Georges. Quand le rayon viendra sur nous, poursuivit le doigt en se tournant vers le rond de ciel, nous restituerons cette poussière à l'ultraviolet lointain. Qu'il paraisse, s'exalta-t-il soudain, qu'il se lève au zénith et se couche au nadir.

– Qu'il paraisse, qu'il paraisse, réclamèrent furieusement les dévots.

Ils n'avaient pas l'air d'en avoir spécialement après Georges Chave. Personne ne semblait même faire attention à lui hormis les quatre glabres, le grand type blond qui se retourna deux fois dans sa direction, et Roger Briffaut debout au dernier rang de l'assistance. L'indicateur était équipé comme tout le monde du costume rayonniste mais le col de sa blouse était un peu trop large, on distinguait en-dessous l'amorce carrelée de sa cravate. Son visage reflétait une tournure d'esprit incrédule mais il suivait le mouvement. Qu'il paraisse, qu'il paraisse, scanda-t-il dans le tempo.

– Le nom va s'incarner, annonça Fred. Il est temps.

– Qu'il s'incarne, s'exaspéra le chœur.

Une porte s'ouvrit dans le fond de la scène et le

207

huitième nom parut. Gibbs était accoutré d'un smoking blanc, chemise blanche et nœud papillon blanc, un tissu blanc sur la tête comme en ont les émirs avec un serre-tête en cuivre. Il avança sans paraître voir Georges lui non plus, même quand Fred le lui eut désigné en renou-velant cette allusion déplaisante au sacrifice imminent. Le masque et l'Anglais échangèrent quelques formules consacrées, puis s'inclinèrent devant le petit lit. Le silence était redevenu parfait. Gibbs se tourna vers les fidèles.

– Célébrons les huit noms, proposa-t-il timidement.

On répéta les sept en leur adjoignant le sien.

– Que renaisse notre Belle-sœur, s'écria le masque en se mettant à besogner le clavier du Farfisa.

Le corps s'agita sur le lit, ses bras nus rejetèrent le drap, Jenny Weltman apparut. Elle se leva. Georges la regardait éperdument. Fred souriait derrière son écran de carton.

Comme le prescrivait son emploi, la jeune femme se dévêtit puis se mit à crier longuement ; les fidèles aus-sitôt se prosternèrent. Georges réalisa avec un temps de retard que les glabres s'étaient eux aussi prosternés, et ce qui suivit ne fut qu'action réflexe de sa part, sans préméditation ni plan, comme s'il se jetait à la poursuite de son propre corps : il bondit de sa chaise et s'élança parmi les accroupis vers la porte d'où Gibbs avait surgi. Nul ne s'interposa, il avait fait trop vite, les officiants eux-mêmes n'eurent pas le temps de réagir. Derrière la porte, un corridor obscur ; il s'y engouffra. Passé quel-ques mètres, il entendit gémir puis crier les fidèles, la voix de Fred assourdie par le masque les exhortant à l'apaisement. La porte fut claquée, des pas rapides retentirent derrière lui.

Georges retrouva rapidement le trajet qu'il avait

emprunté un peu plus tôt avec Baptiste et Barrymore. Le bruit de course à pied s'obstinait dans son dos. A hauteur de la sacristie, il se jeta dans la pièce étroite et referma vivement la porte après lui. Les pas se rapprochèrent, s'éloignèrent dans le couloir. S'arrêtèrent un instant. Revinrent, plus lentement. Georges saisit instinctivement le premier objet à portée de sa main, un torchon ; un torchon, ce n'est pas une arme. La porte s'ouvrit, et c'était encore Gibbs. Il était en sueur, sa coiffe d'émir avait dû s'envoler dans sa course, ses cheveux pendaient en points-virgules rouges sur son front.

— Hello, Georges, fit-il comme si de rien n'était.

— Vous êtes un beau salaud, dit Georges.

— Je vais vous expliquer.

Il s'était donc associé avec un homme d'affaires pour tâcher de récupérer l'argent Ferro. C'était l'homme d'affaires qui avait décidé d'aménager la maison Ferro en temple rayonniste, lui qui avait remis sur pied la secte en quelques semaines, galvanisé les zélotes déprimés depuis la défection de Dascalopoulos, imaginé de se faire passer pour celui-ci, lui enfin qui avait dérobé le dossier chez Benedetti. Certes, ce dossier ne valait à lui seul pas plus qu'une moitié de bank-note, mais l'homme d'affaires semblait en voie de se procurer l'autre moitié. On verrait bien. Ce n'était pas quelqu'un de facile, Gibbs avait un peu peur de lui.

— Cette secte, avoua l'Anglais, ça ne rapporte pas un sou pour le moment. Mais c'est lui qui s'en occupe, je ne veux pas le contrarier. C'est un psychopathe, vous savez, il faut faire attention. Et puis c'est vrai que ça peut servir, cette petite confrérie, ça peut rendre des services. Et puis c'est amusant, non ?

— Amusant, répéta Georges, vous avez vu ce qu'ils veulent me faire ?

– C'est lui qui a eu l'idée, protesta Gibbs. Notez, c'est vrai qu'un sacrifice est un bon facteur de cohésion du groupe.

– Mais ils ne veulent pas vraiment me tuer, quand même ?

Gibbs répondit à cela par un geste évasif, comme si cette éventualité était exclue en même temps qu'inévitable, et tout compte fait d'un intérêt secondaire. Ce geste fit se lever une hargne sourde dans l'esprit de Georges. Il tendit un bras pour écarter Gibbs de la porte.

– Vous me laissez sortir, maintenant.

– Non, comprenez-moi. Il vaut mieux que vous restiez.

Georges avança sa main comme une griffe vers le visage de Gibbs, comme s'il allait d'abord lui arracher le menton, et l'Anglais s'écarta promptement en murmurant quelque chose en anglais, et la porte s'ouvrit et Fred entra, son masque à la main, un Taurus 86 Target Master dans l'autre main, trois chauves derrière lui équipés d'instruments contondants.

– Justement le voici, s'exclama Gibbs avec soulagement. Permettez-moi de vous présenter (il agita frénétiquement ses membres supérieurs), monsieur Shapiro, monsieur Chave, monsieur Chave, monsieur Shapiro.

– Fini de rire, annonça Fred.

29

Elle avait eu peur un moment, mais ce n'était finalement qu'un rêve et qu'un jeu, une histoire organisée par quelqu'un d'autre où Véronique ne faisait que passer en souriant. Elle avait ouvert les rideaux. La baie vitrée était un peu haute pour elle, comme un aquarium pris dans le mur épais, sauf qu'il y avait de l'autre côté des oiseaux dans des arbres morts, des plateaux d'herbe rase et des montagnes proches. Elle tira une chaise, grimpa dessus pour atteindre le système d'ouverture sur le côté supérieur de la fenêtre, débloqua le loquet, retint la vitre pour qu'elle se rabatte sans bruit, se rétablit au bord du cadre, vit mieux le paysage.

Le parc flétri se concluait en un chemin jaune étranglé par un tournant sous la falaise, et juste à l'entrée du tournant deux hommes debout près d'une automobile bleue regardaient dans sa direction ; l'un des hommes tenait quelque chose contre ses yeux. Véronique enjamba la fenêtre, vit qu'un peu plus de deux mètres la séparait d'une surface de toiture d'où elle pourrait gagner une autre surface, peut-être une troisième, ensuite on verrait.

Elle se suspendit un instant au cadre, lâcha prise, se reçut sans trop de mal sur une pente de tuiles friables et moussues, se releva, avança. Elle progressait par mouvements vifs, un peu brusques, sans hésiter, sans regarder trop au-dessous d'elle par crainte du vertige. Elle sortit à plusieurs reprises du champ des jumelles de Guilvinec qui maugréait en refaisant sans cesse le point.

– Une fille, spécifia-t-il. Par la baie vitrée, tu vois ? Elle a l'air de vouloir se tirer de là. Qu'est-ce qu'on fait ?

– Rien, dit Crémieux, on attend.

Véronique rejoignit un second pan de toit glissant, un autre, l'arête d'un muret de part et d'autre duquel battaient des abîmes, mais qui permettrait de rejoindre un coteau matelassé d'aiguilles de pins. De là, sous le ciel énorme, elle courut à travers le parc vers les deux hommes au bord du chemin.

Ils étaient là depuis la mi-journée. Ils avaient vaguement surveillé l'alentour, parcouru le Guide Bleu de la région ainsi que les quotidiens locaux, écouté de la musique militaire et d'ambiance sur le lecteur de cassettes et les informations de chaque heure à la radio, tiré du café froid d'un thermos mal jointif. Ils étaient arrivés une heure après le type blond et sa vieille mère qui avaient convoyé Georges. A ce moment, les sectateurs étaient déjà réunis à l'intérieur de la falaise ; on avait garé dans une grange le petit autocar loué à l'occasion. Guilvinec et Crémieux n'avaient donc vu personne entrer ni sortir. Ils avaient admiré le paysage et mangé des sandwiches aux rillettes. Et ils avaient aussi bâillé, comparé puis commenté leurs horoscopes dans un périodique. Maintenant ils la regardaient venir, et Véronique sut tout de suite que ces hommes incarnaient l'ordre. Elle leur parla, ils répondirent comme tels.

– Qu'est-ce que vous voulez qu'on fasse ? demanda Crémieux. Regardez-nous, on n'est pas équipés. On n'est pas secondés. La police, c'est comme tout. On attend.

– Mais vous n'allez pas rester là ? fit Véronique, vous n'allez pas rester là sans rien faire ?

– Disons qu'on va commencer par rester là.

En aval, il y eut dans l'air un bruit de moteur. Puis une Mercedes beige parut, suivant son propre bruit tout en sinuant parmi les ornières. Qu'est-ce que c'est que ça, encore ? fit Guilvinec. C'était Benedetti.

Il freina à leur hauteur, porta sur eux un regard éteint à travers le pare-brise. Il était tassé sur son siège comme un gros monceau de linge sale dans un sac fermé par de gros boutons de galalithe. On percevait une musique mièvre à l'intérieur de la voiture, quelque chose comme du Léo Delibes ou du Vincent d'Indy. Benedetti tourna un bouton pour baisser la musique, en pressa un autre pour baisser la vitre. Il salua d'une voix lasse. Messieurs, mademoiselle.

– Qu'est-ce que vous faites là ? demanda Crémieux.

– Je passais, dit absurdement Benedetti. Je veux dire, je venais voir ce qui se passe. Mes adjoints m'ont téléphoné cette nuit, de pas très loin d'ici, ça avait l'air de chauffer. Je suis parti tout de suite, quinze heures que je roule, je suis fatigué.

– Vous ne trouvez pas qu'il y a une odeur ? demanda l'autre O.P.

Benedetti poussa sur la portière pour l'ouvrir, avec un grand effort apparent, comme s'il entreprenait de déplacer un mur, puis il sortit en boitillant. On devinait sa peau fripée sous ses vêtements froissés. Voûté, il se massa longuement une cheville en regardant un peu de fumée qui sortait par les fentes du capot.

– Elle est foutue, cette voiture, dit-il. Ça n'arrête pas. Ça n'a pas arrêté depuis Paris, vous imaginez le voyage.

– Fallait la faire voir, dit Guilvinec paternellement. La faire un peu réviser avant de partir.

– Pas eu le temps, parti en catastrophe, fit l'homme de contentieux. Ma femme, l'hôpital, évoqua-t-il. Complètement crevé, conclut-il. Et alors, qu'est-ce qui se passe ?

Eh bien d'après mademoiselle, commença Crémieux, puis il raconta méthodiquement tout ce dont Véronique venait de leur faire part. Il parlait lentement comme s'il tapait un rapport, en réfléchissant bien avant chaque phrase, en cherchant loin dans son cerveau chaque mot de ce rapport, puis chaque lettre de ce mot sur le clavier de la grosse machine. A la surprise de Véronique, il ajouta au récit de la jeune femme des détails de son cru ; à sa surprise supérieure, ces détails étaient vrais. Les deux autres écoutaient Crémieux en bougeant lentement leur tête, et quand il eut achevé son compte rendu on considéra le palais colonial. Rien ne s'y manifestait, tout y paraissait à jamais vide et mort comme dans une vieille coquille.

– On n'arrivera à rien par là, reprit Crémieux en désignant la façade. S'il y a quelque chose, c'est derrière (désignant la falaise). Elle est sortie par là, la demoiselle (désignant la baie vitrée puis Véronique). Il doit y avoir un passage, ou quelque chose. On mettrait des heures à trouver, on n'est pas nombreux. On n'est pas nombreux, répéta-t-il d'une voix sourde en se désignant lui-même. Il faudrait prévenir les collègues du coin, la préfecture, et puis ils vont mettre une heure à venir.

Il se mit à se frotter profondément les yeux. Benedetti essuyait machinalement l'incurvation de son pare-brise avec sa manche. Guilvinec observait un petit rapace qui décrivait des ronds dans le ciel blanc. Véronique considéra les trois hommes un moment, puis se mit fermement en marche vers la maison.

– Eh, dit Guilvinec, vous allez où comme ça ?

– Tais-toi, dit Crémieux, cesse de faire le flic tout le temps. Bon, haussa-t-il la voix vers la jeune femme, bon, on va essayer, on va tenter le coup. On arrive, revenez, on va y aller. Allez, revenez, on vient.

Elle revint. Crémieux désigna, assez loin sur la droite, un sentier filiforme qui attaquait la falaise en long biais vers une sorte de plate-forme plantée d'une yeuse, juste au-dessus des fenêtres percées dans la pierre.

– Par là, dit-il. De là-haut on pourra peut-être voir. Ce serait bien qu'il y ait un passage. Une fois j'ai vu une maison un peu comme ça avec ma femme en Grèce, en été. En moins rupin. L'habitat troglodyte, hein, c'est intéressant. Il y en avait plein, des passages.

On entreprit le sentier jusqu'à la plate-forme, où contre l'yeuse se développait un cade. La présence d'un piège à grives, fait d'un gros caillou anciennement soutenu par deux bâtonnets en rupture d'équilibre, attestait une présence humaine sporadique dans le secteur. Sous le caillou effondré, des appâts de genièvre moisis et le squelette pétrifié d'un volatile laissaient penser que la présence ne s'était plus manifestée depuis longtemps. On resta là un moment, silencieux. Benedetti s'était remis à se masser la cheville. Crémieux tournait son regard dans tous les sens.

– Un moment, dit-il.

Avec une vigueur insoupçonnable, il se mit à gravir frénétiquement la falaise presque verticale en direction d'une petite saillie de pierre feuilletée, comme un bec plat, à quelques mètres au-dessus de la plate-forme. Il glissa plusieurs fois, se rattrapant à des prises fragiles, à des arbustes qui se déracinaient sous lui – ça va, chef ? ça va, chef ? criait Guilvinec –, mais les autres le virent se rétablir enfin, se dresser sur le bord du bec, regarder quelque chose à ses pieds et crier de venir, qu'il y avait

215

là peut-être un passage ou quelque chose. Ils le rejoignirent chacun de son mieux.

Ce n'était pas un passage mais un trou circulaire dans le rocher, un puits étroit dont on ne distinguait pas le fond. Ils prirent place autour du trou, Guilvinec se mit à plat ventre et plongea sa tête à l'intérieur. Il la sortit, déclara qu'on n'y voyait rien. Regarde encore, dit Crémieux. Guilvinec enfonça encore sa tête un bon moment dans le trou, puis la ressortit et dit que si, qu'on voyait quelque chose. Son visage était écarlate, on ne distinguait plus les veinules du reste de son tégument. Presque rien, nuança-t-il, une vague clarté tout au fond.

– On ne peut pas descendre par là, dit Benedetti de sa voix lasse. Ce n'est pas possible.

– Qu'est-ce qu'on fait ? demanda Guilvinec en époussetant son costume bleu sous son imperméable.

– On attend, dit Crémieux.

– Vous disiez déjà ça tout à l'heure, fit observer Véronique.

Depuis les profondeurs de la terre, un long hurlement leur parvint alors, aggravé par la galerie, comme poussé par la falaise même ; pas vraiment un hurlement, d'ailleurs, plutôt une longue note tenue très haut, plaintive, incantatoire, guerrière : le cri de la Belle-sœur montait vers eux.

– On redescend, dit Crémieux.

30

Fred ne menaçait pas Georges de son arme. Celle-ci pesait dans sa main sans utilité pratique, n'étant qu'un simple signe, une balise disposée là pour indiquer de quel côté penchait le rapport de force, si d'aventure quelqu'un s'intéressait à cette question.

Ils n'échangèrent d'abord aucune parole. Fred souriait un peu, sans amour, avec une seule gaieté complice dans l'œil. Dans son dos, les trois hommes glabres couvaient la scène du gourdin. Un pas de course enfla dans le couloir, et le quatrième glabre apparut.

– Ils s'énervent, annonça-t-il nerveusement, il faudrait quelqu'un.

– La fille n'a qu'à les faire patienter, dit Fred. Qu'elle crie encore un peu.

– Elle crie, fit le glabre, elle crie, elle fait ce qu'elle peut. Mais ça ne donne plus rien. On ne peut plus les tenir.

Fred se tourna vers Gibbs.

– Allez-y, dites-leur quelque chose. Faites un petit discours.

– Mais ça n'était pas prévu, protesta l'Anglais, qu'est-ce que vous voulez que je raconte ?

– Inventez, dit Fred. Je ne sais pas, moi. Tiens, les légumes, donnez-leur les légumes, ils sont toujours contents quand ils ont leurs légumes. Ça fait partie du truc. En général je les distribue à la fin, mais bon, pour une fois.

– Je ne vais pas savoir m'y prendre, encore, bafouilla l'homme roux.

– Vous m'emmerdez, Ferguson, cria Fred. Il faut quand même en faire un minimum, non ? Donnez-vous un peu de mal si vous voulez que ça marche. Vous n'avez qu'à demander au masseur, voilà, regardez le masseur et faites comme lui, allez. Mais allez-y, enfin.

L'Anglais se redressa, inspira, voulut faire jouer ses maxillaires.

– Bien, je vais leur parler, fit-il d'une voix inégale. J'y vais.

Il s'en fut, escorté du glabre. Fred se tourna vers Georges en souriant derechef, cligna d'un œil puis leva les deux au ciel, comme on se plaindrait en douce d'un domestique ou d'un patron.

– Il faut tout faire, ici. Il faut tout leur dire.

Il fit signe aux trois autres de se poster dans le couloir, ferma la porte sur eux, puis alla ouvrir un grand placard profond à l'autre bout de la pièce, sur un côté duquel se superposaient des tiroirs. Fred déposa son revolver dans l'un, tira d'un autre une bouteille de bourbon Barclay et deux verres, d'un troisième un tout petit transistor noir et gris de fabrication japonaise, avec un gros bouton rouge vif sur le dessus. Il emplit les verres, se cala sur un tabouret, dos au mur, posa les verres sur le sol et les désigna à Georges d'un mouvement du menton tout en bricolant le petit poste qui se mit à diffuser du piano, plus précisément *Sweet and lovely* par le trio de Wynton Kelly. Fred déploya l'antenne télescopique, régla le volume, déposa l'appareil et leva un verre dans la direction de Georges, qui faisait tourner l'alcool jaune au fond du sien. Ils burent.

– Ecoute, dit enfin Georges, ça ne peut plus durer. Qu'est-ce que c'est que cette histoire ?

– Comme tu manques de confiance, se désola Fred. Calme-toi, tu as fait tout ce qu'il fallait jusqu'ici, tu as très bien joué ton rôle. Même ta petite fugue, c'était parfait, tu as détourné l'attention juste comme il fallait.

– Mais quoi, quel rôle ? s'énervait Georges.

– Celui que je voulais que tu tiennes. Tu n'étais pas obligé d'être au courant, il valait même mieux que tu ne le sois pas. Ne cherche pas à comprendre, fais comme je te dis, tout ira bien. Tu verras, ne t'inquiète de rien, tu as tout à gagner dans cette histoire. (Il but.) A part ça, ça va ? Depuis tout ce temps. Tu n'as pas trop changé.

– Toi non plus. A part les cheveux, peut-être.

– Quoi, dit Fred en se raidissant, qu'est-ce qu'ils ont, mes cheveux ?

Mais il se ressaisit, refit les niveaux dans les verres et mit une sourdine au piano, qui n'était plus celui de Wynton Kelly mais de Ronnel Bright.

– Maintenant je sais où il est, l'argent, j'ai fini par trouver. Je suis seul à savoir, même Gibbs n'est pas au courant. Tu veux que je te montre ?

Il s'était relevé, entraînait Georges près de la fenêtre.

– Tu vois la falaise. A droite, en haut, tu vois ? Il est là, au fond d'un puits, tout est là. Enfin, tout est là, disons qu'il y en a pas mal. Il suffit de descendre. On peut le prendre comme on veut, tu pourrais le prendre si tu voulais. Tu as entendu ce bruit ?

C'était l'inspecteur Guilvinec qui tirait un coup de feu.

Guidés par Véronique et suivis de Benedetti, Crémieux et lui avaient trouvé la chambre au grand lit de cuivre puis s'étaient engagés seuls dans le couloir jusqu'à la sacristie. Les trois glabres en faction s'étaient aussitôt rués sur eux en brandissant leurs massues, les fonctionnaires avaient levé leurs armes de service et Guilvinec venait donc d'expédier un projectile qui ricocha longuement entre les parois du couloir avant de retomber épuisé, complètement déformé par les impacts. Puis on avait battu symétriquement en retraite, on s'était réfugié dans des recoins, on se demandait ce qu'on allait faire.

Sans se presser autrement, Fred récupérait son Taurus dans le placard. Tu ne bouges pas, fit-il presque machinalement, tu restes là. Georges haussa les épaules et vida son verre pendant que Fred marchait vers la porte, l'entrouvrait. En face de lui, les trois hommes de main rencognés lui adressèrent des gestes dénotant l'impuissance et la perplexité. Plus loin vers la gauche, un bout de pardessus en laine noire dépassait d'un angle mort, et dans une embrasure flottaient des pans d'imperméable vert tout neuf.

Fred tira sans hésiter sur le tissu vert, le troua, et Guilvinec marmonna merde avec une expression d'agacement, recula trop brusquement contre le mur et son corps fit comme un rebond ; Guilvinec trébucha, jeta sa jambe en avant pour reprendre équilibre et Fred tira sur la jambe, la troua, et Guilvinec s'exclama merde avec une expression de dépit, sans plus de passion perceptible que si on venait de le bousculer un peu vivement sur un trottoir ; il n'eut pas tout de suite extrêmement mal mais se mit à tomber, et Fred voulut encore tirer sur lui mais le pardessus noir se mit alors à tirer sur Fred, qui réintégra promptement la sacristie. Plaqués au mur, les glabres étaient restés cois.

Crémieux quitta son abri, tirant dans la direction de ces derniers deux ou trois coups de feu dissuasifs, progressant à lents reculons vers son collègue qui se tenait maintenant la jambe en gémissant merde merde avec une expression de souffrance. L'un tractant l'autre par le revers de son imperméable, ils disparurent au premier coude, hors de portée du regard des glabres qui se retournaient d'ailleurs au même instant car Gibbs venait de surgir à l'autre extrémité du vestibule, vêtements et cheveux désordonnés, de l'affolement dans la physionomie. Il fit irruption dans la sacristie, bousculant Fred qui guettait derrière la porte.

— Ils veulent me lyncher, hennit-il. Je n'ai pas su m'y prendre, je vous avais bien dit.

— Quoi, fit posément Fred, qu'est-ce qu'il y a ?

— Une mutinerie, souffla l'Anglais. J'ai dû dire quelque chose qui les a contrariés.

— Et elle ?

— Je ne sais pas, je suis parti trop vite. Ils voulaient s'en prendre à moi, comprenez-vous.

Georges se leva.

— Reste là, dit Fred, je préfère que tu restes. Tu vas là-bas, c'est dangereux pour toi. C'est sûrement le coup du sacrifice, ça ne s'est pas fait, c'est ça qui a dû les énerver.

— Mais nom de dieu, s'exaspéra Georges, ce sacrifice, c'est quand même toi qui as eu cette saloperie d'idée, non ?

— J'ai mes contradictions, reconnut Fred. Et puis ne sois pas grossier comme ça.

La porte se rouvrit, Jenny Weltman apparut. Elle avait couru, elle brillait, Georges était ébloui. Il y eut un silence plein de respect autour d'elle, sauf que c'était Barry Harris qui jouait maintenant dans le poste. Elle marcha vers le placard, l'ouvrit, ôta son voile de Belle-sœur derrière la porte du meuble, d'où elle tira des vêtements que les trois hommes entendirent glisser sur sa peau.

Elle réapparut. Ce n'était pas tellement féminin : un blouson d'aviateur en cuir de cheval très foncé, un jean 501 délavé, un pull-over en cachemire gris et des chaussures en daim noir assez pointues. Georges la regardait toujours avec une expression extatique et timide et un peu imbécile. Un moment hébété, reprenant son souffle, Gibbs se remit subitement à fonctionner.

— On s'en va, gesticula-t-il. Ça a assez duré, maintenant. Trouvez l'argent et puis on s'en va.

Fred inspecta prudemment le couloir, fit entrer les glabres et leur distribua des armes de poing qu'il tira d'un quatrième tiroir du placard.

— Patience, dit-il.

31

Bock et Ripert étaient arrivés après tout le monde. Ils avaient exploré la maison, fouillé pièce après pièce, découvert leur chef endormi sur le lit de cuivre ; ils ne voulurent pas le réveiller. Véronique à son chevet leur avait expliqué comment rejoindre les officiers de police, qu'ils retrouvèrent l'un penché sur l'autre gémissant. Ensemble ils avaient fait le point de la situation.

– Autant y aller tout de suite, proposa Crémieux.

– Un moment, dit Ripert, on souffle un peu. On a eu assez de mal à vous trouver. Vous ne voulez pas que je reste là pour m'occuper de lui ? suggéra-t-il en désignant le policier breton.

– Déjà qu'on n'est pas nombreux, fit Crémieux avec une moue.

– Il a raison, Christian, reconnut Bock.

On inventoria l'arsenal, on le vérifia, le rechargea, puis on monta au feu, Bock et Crémieux d'abord, Ripert traînant un peu les pieds derrière eux.

Ils hésitèrent un instant devant la porte de la sacristie, aux alentours de quoi ne se trouvait plus personne. Puis une rumeur prit forme au loin, grossit, et soudain surgirent les rayonnistes tout au bout du couloir. Ils en occupaient la largeur, avançaient d'un pas vif en clamant les formules de leur foi, leurs vêtements blancs bruissaient. Aussitôt les trois hommes s'engouffrèrent dans la petite pièce, et dès lors les événements se succédèrent assez vite.

Bock et Crémieux menacèrent efficacement tout le monde de leurs armes, alors que la clameur enflait toujours dans le couloir. Ripert les rejoignit avec un petit temps de retard qui produisit un contretemps, comme une fausse note dans une exécution : une brève indécision flotta dans l'air et l'un des glabres en profita pour tirer sur le collègue de Bock. Ce fut une grosse détonation, tous sursautèrent et quand on se fut repris Ripert n'avait plus de nez, une grande éclaboussure à la place de son nez jetait ses bras comme une araignée rouge aux quatre coins de sa figure. Ripert poussa un cri affreux, couvrant le tumulte extérieur, tout ce bruit devenait insupportable et sans doute fut-ce pour l'abréger que Fred tira à son tour sur Ripert, instinctivement, comme on chasse un moustique, et l'instant d'après Ripert ne criait plus.

Il y eut un silence ; même les séides s'étaient tus de l'autre côté de la porte, sûrement effrayés par les coups de feu. Une voix détendue sortit du poste pour indiquer qu'on venait d'entendre du Kenny Drew et qu'on allait écouter du Freddie Redd. Il n'en fut rien : s'excitant mutuellement, les rayonnistes se remirent à scander leurs slogans tout en martelant la porte verrouillée, couvrant impitoyablement les accords introductifs de *Jim Dunn's dilemma*.

Bock vit Ripert qui était mort. Il n'aurait pas cru cela possible. Depuis sept ans qu'il le connaissait, Bock avait vu Ripert se blesser fréquemment, presque chaque fois qu'il en avait l'occasion ; mais mourir, non, il n'aurait pas cru. Et puis cela devait finir ainsi, pensa-t-il, bien qu'à cet instant son esprit ne fût pas fataliste mais vengeur. Il jeta un regard indigné vers Crémieux qui pres-

224

sentit ce que Bock allait faire, voulut crier quelque chose de dissuasif, mais l'autre vidait déjà devant lui le barillet de l'arme commémorative, sans voir au juste ce qui se trouvait dans la ligne brisée de son tir.

Tous se jetèrent à plat ventre d'un beau mouvement d'ensemble, comme des nageurs de course quand ce n'est pas Bock qui tire mais un starter dont la belle casquette blanche se mire dans l'eau chlorée. Fred avait roulé vers le placard entrouvert, au pied duquel il vira sur lui-même en braquant le Target Master vers Bock et Crémieux, celui-ci s'efforçant d'apaiser celui-là en agitant son propre automatique sans envisager de s'en servir. Mais le policier vit alors Fred qui le visait et en retour il visa, tira, manqua Fred dont le corps s'agita d'un spasme vif de reptation antérograde qui le rappro-cha de la porte du placard. Celle de la sacristie cédait au même moment sous la poussée des fanatiques qui surgirent en force, blanchirent l'espace en un instant et se pétrifièrent à la vue de Fred sans son masque, dans cette position incongrue.

– C'est lui, s'indigna l'un d'eux.

– Ce n'est pas lui, fit un autre.

Différemment, ils voulaient dire la même chose. Imposteur, s'écrièrent-ils, agent de l'opaque. Cette expression devait détenir du sens pour eux. Dascalo-poulos, cœur du rayon, hystérisa une dévote, où est-il, où es-tu ?

Fred profita de la stupeur des rayonnistes pour se propulser d'un nouveau mouvement convulsif dans le placard qu'il referma sèchement sur lui. Il y eut encore un bref silence, le temps d'entendre cliqueter une ser-rure à l'intérieur du meuble, avec un peu de Sonny Clark très assourdi, le transistor s'étant jeté comme tout le monde à plat baffle au plus fort de la panique. Durant

225

quelques secondes, tous écoutèrent la musique. Tous ne la goûtèrent pas assez, sans doute, car ce fut un violent renouveau de désordre.

Insoucieux de Bock et de Crémieux, du corps gisant de Ripert, négligeant même leur Belle-sœur et l'incarnation du huitième nom, les adeptes s'en prirent au placard qu'ils voulurent défoncer. Hagard, Bock continuait d'actionner mécaniquement la détente de son arme vide. Crémieux neutralisa les glabres avant de le ramener à la raison, et comme tous deux entreprenaient ensuite de calmer les rayonnistes, l'indicateur Briffaut surgit tout essoufflé.

– Où est Shapiro ? interrogea-t-il.

– Ne renversons pas les rôles, Roger, dit sévèrement Crémieux.

Briffaut vit tout ce monde groupé autour de la porte du placard. Briffaut savait que le fond du placard était percé d'une autre porte par où l'on pouvait gagner l'extérieur. Tout ce monde l'ignorait. Crémieux s'approcha de Gibbs pendant que Bock s'occupait d'évacuer les zélotes.

– Monsieur Gibbs, dit-il, il y a deux ou trois choses que je m'explique mal.

L'Anglais baissa la tête. Dehors, la nuit venait déjà. Une ampoule électrique ballait à très faible amplitude au bout de son fil, faisait trembler les ombres des personnes qui se tenaient encore là sans plus rien dire, comme si elles écoutaient enfin vraiment cet air triste que jouait à présent Lou Levy. L'émission devait être consacrée aux continuateurs de Bud Powell. Elle n'était pas mal composée, pensa Georges, quoiqu'ils n'eussent pas dû négliger Walter Davis.

226

32

Les autres ne tarderaient pas, mais pour l'instant il n'y avait personne. C'était dimanche, sur cette large fraction froide et grise du boulevard de Ménilmontant, aux contre-allées plantées d'arbres nus et noirs sous lesquels s'empoussièrent des véhicules volés puis abandonnés là, reflétés par les vitrines des marbriers et des fleuristes devant l'entrée du Père-Lachaise.

Entrons : de vieilles dames, leurs cabas pleins de boutures et de restes pour les chats, vont emplir des bouteilles à une borne. Un préposé vêtu de bleu cède des plans du cimetière à un groupe de jeunes gens. Passent d'autres groupes, en tenue sombre parfois. Un homme ceint d'un grand tablier, coiffé d'un chapeau de toile, dégage vers la gauche une brouettée de bouquets flétris. Trois hommes seuls, deux couples, une adolescente. Cela semble faire pas mal de monde mais il s'agit d'un espace très vaste, les gens sont loin les uns des autres et n'arrivent pas à chasser le vide. On ne sait pas toujours s'ils se promènent, d'ailleurs, ou s'ils sont venus voir quelqu'un de particulier. Il est treize heures vingt, il fait plutôt froid, il n'y a rien d'autre à voir ; sortons.

Depuis le portail, au loin, on aperçoit Benedetti qui avançait lentement. Il avait déjà passé la matinée au cimetière pour l'enterrement de sa femme, patienté en attendant celui de Ripert dans un tabac du boulevard de Charonne qui fait l'angle avec la rue de Terre-Neuve, et au fond duquel des guéridons sur une estrade cernent une table de billard. Il n'avait pas très faim, il n'avait consommé qu'un œuf dur avec de l'eau gazeuse. Trop près du billard, il gênait les mouvements des joueurs ; on le lui avait fait entendre, il s'était déplacé. Ensuite il avait pris un café au bar. Les parieurs échangeaient derrière lui des points de vue et des journaux spécialisés, agitaient et poinçonnaient des formulaires. Et maintenant qu'il avait presque rejoint le cimetière, une voiture freinait à sa hauteur. Bock et Liliane Bock sortirent de la voiture et vinrent serrer longuement la main de Benedetti.

Cependant, par une entrée secondaire au fond de l'impasse qui ferme la rue de la Réunion, Georges Chave entrait également dans le cimetière, accompagné par Donald et Crocognan. Ils avancèrent dans les allées, ils n'étaient pas pressés, ils avaient machinalement pris à droite vers le mur des Fédérés, ils déchiffraient les noms et les mentions sur les stèles. De loin, dans un tournant de l'avenue circulaire qui longe la quatre-vingt-dix-sep-tième section, Georges aperçut Crémieux qui venait dans leur direction, flanqué de Guilvinec lui-même accompagné d'une femme et s'étayant sur une canne anglaise. A la vue des enquêteurs, Donald et Crocognan obliquèrent discrètement vers Edith Piaf. Georges poursuivit seul jusqu'à la tombe de Jacques Duclos.

– Ah vous voilà, fit Crémieux. C'est grand, ici, on se perd.

– Je crois que c'est plutôt par là, dit Georges en désignant un point hors de portée de voix de la chanteuse.

– C'est grand, répéta Crémieux.

– Quarante-trois hectares, chef, indiqua Guilvinec en brandissant circulairement sa canne.

228

– Ne m'appelle plus comme ça, enfin, dit Crémieux d'une voix douce. Tu sais bien qu'on est au même échelon.

Guilvinec posa sur Georges un regard de chien méfiant. La femme qui le suivait était blonde et large et toute couperosée comme lui ; le chagrin seul ne pouvait pas noyer à ce point ses yeux. On l'imaginait bien le soir avec son homme, buvant pas mal ensemble dans la cuisine avant d'aller se coucher.

Tous devaient se retrouver au carrefour du Grand Rond, de là on gagnerait ensuite la vingt-huitième section où la famille de Ripert possédait une concession, à deux pas du cœur du maréchal Mortier. Un groupe s'était déjà formé quand Georges et les policiers parvinrent au rond-point. Tout le monde était là ou peu s'en faut, sans compter Donald et Crocognan dissimulés derrière les arbres et les sépulcres, se déplaçant discrètement comme des singes autour d'un campement.

Il y avait des gens que Georges ne connaissait pas, sans doute des parents du défunt, parmi lesquels une dame âgée en fourrure bronze, soutenue au physique par un adolescent renfrogné vêtu d'un Perfecto, au moral par un petit homme vif assaisonné d'une fine moustache d'assureur, arborant une gabardine beige et un chapeau chiné brun-beige à bords courts, avec une petite plume orange coincée dans le ruban. Lui paraissait au contraire plein d'entrain, comme s'il s'apprêtait à signer un gros contrat multirisques. Il ressemblait un peu à Ripert. Ce pouvait être son frère.

En revanche il n'y avait pas de veuve ou alors il y en avait deux, à peu près du même âge et qui s'évitaient ; l'une semblait un peu plus affectée que l'autre. Georges aperçut aussi le couple Gibbs, Ethel s'entretenait avec Véronique, Crémieux s'approcha de Ferguson ; sans doute y avait-il encore une chose qu'il s'expliquait mal. Georges divagua un moment dans le groupe, puis s'amarra au couple Bock. Un malentendu, dit Bock en serrant tristement sa main, un malheureux malentendu. Il avait l'air ému, distrait, il faisait tourner sur elle-même la grosse alliance qui étranglait son annulaire comme un vieux joint de fixation.

On processionna vers la fosse étroite. Les fossoyeurs se mirent en place avec leurs cordes puis firent glisser la boîte avec dextérité. La veuve la plus affectée jeta quelques fleurs fraîches par-dessus et les hommes se mirent à pelleter. Ils procédaient souplement, avec l'insouciance efficace du vrai professionnel, le flegme de l'artisan rompu. On aurait dit qu'ils faisaient quelque chose d'autre, qu'ils construisaient un petit mur ou se passaient des cageots de choux, il y avait quelque chose de rassurant et de scandaleux à les voir faire.

Georges Chave alors se tourna et vit Jenny Weltman à dix mètres de lui, nouvelle et glorieuse comme la première fois, dans cette même robe noire aux détails bleu-gris. Elle lui fit signe avant de disparaître encore dans un bosquet de colonnes brisées, il la suivit, la rejoignit près d'une autre entrée secondaire qui donne dans la rue du Repos. Une voiture était garée un peu plus loin, à l'angle du boulevard, une grosse Rover bleu nuit sans âge dont les chromes réfléchissaient parfaitement tout autour d'eux sous une multitude d'angles. Il y avait un chauffeur à la place du chauffeur, qui ne se retourna pas lorsque Jenny Weltman ouvrit une portière à l'arrière, puis lorsqu'elle monta dans la voiture suivie de Georges qui prenait place à côté d'elle, juste derrière lui. La Rover démarra sans qu'on eût dit un mot.

Il existe un feu tricolore au croisement du boulevard de Ménilmontant et de l'avenue Gambetta, laquelle longe vers l'est les murs du cimetière de l'Est. Comme la voiture freinait au rouge, le chauffeur se pencha, retira du vide-poches l'étui plat d'une bande magnétique qu'il glissa dans un lecteur, et de quatre haut-parleurs dissimulés dans les portières fusèrent les premières mesures de *Cherokee*. La jeune femme s'était enfin laissé aller contre l'épaule de Georges. Il leva les yeux vers le rétroviseur dans lequel, comme un très gros plan sur un tout petit écran, lui souriaient ceux de Fred.

– Bon, dit Fred. Qu'est-ce qu'on fait, maintenant ?

DU MÊME AUTEUR

LE MÉRIDIEN DE GREENWICH, *roman,* 1979
CHEROKEE, *roman,* 1983, (Double n° 22)
L'ÉQUIPÉE MALAISE, *roman,* 1986, (Double n° 13)
L'OCCUPATION DES SOLS, 1988
LAC, *roman,* 1989
NOUS TROIS, *roman,* 1992
LES GRANDES BLONDES, *roman,* 1995
UN AN, *roman,* 1997
JE M'EN VAIS, *roman,* 1999, (Double n° 17)
JÉRÔME LINDON, 2001
AU PIANO, *roman,* 2003

CET OUVRAGE A ÉTÉ ACHEVÉ D'IMPRIMER
LE DEUX DÉCEMBRE DEUX MILLE DEUX
DANS LES ATELIERS DE NORMANDIE ROTO
IMPRESSION S.A.S. À LONRAI (61250) (FRANCE)
N° D'ÉDITEUR : 3787
N° D'IMPRIMEUR : 022588

Dépôt légal : janvier 2003